SUBSTANCE B

Bernard Lentéric est né à Paris, il y a bientôt un demi-siècle. Son école : la rue.
Boxeur, danseur mondain, camelot, puis dirigeant d'une multinationale et producteur de films : *Le Dernier amant romantique, Plus ça va, moins ça va, Les 7 jours de Janvier, Le Cœur à l'envers, Un type comme moi ne devrait jamais mourir.*
Après trois ans passés à Hollywood, il devient scénariste puis écrit des best-sellers : *La Gagne, La Nuit des enfants rois, Voyante, La Guerre des cerveaux, Substance B* et *Les Enfants de Salonique.*

DU MÊME AUTEUR

Aux Éditions Olivier Orban :

LA GAGNE, 1980.
VOYANTE, 1982.
LES ENFANTS DE SALONIQUE, 1988.

Aux Éditions Olivier Orban/Édition° 1 :

LA NUIT DES ENFANTS ROIS, 1981.
LA GUERRE DES CERVEAUX, 1985.

A paraître :

Le troisième et dernier volet de la série des ENFANTS DE SALONIQUE.

BERNARD LENTERIC

Substance B

ROMAN

ÉDITION° 1
OLIVIER ORBAN

© Édition° 1, Olivier Orban, 1986.

à Laure qui crée la Substance B
à Eva qui est la Substance B

Le Théologien :

« La foi chrétienne n'est pas une alternative à la pilule du bonheur.

La foi n'est pas une drogue, car une drogue altère le réel. Elle est le contraire de l'idolâtrie, car comme la drogue ou l'alcool, l'idolâtrie donne l'illusion de la toute-puissance mais ne la livre pas... »

L'apprenti sorcier :

Moi, chercheur, j'ai décidé d'arrêter!... Comment participer sans angoisse à un changement radical de la personne humaine?

Le savant :

« Prenez intérêt, je vous en conjure, à ces demeures sacrées que l'on désigne du nom expressif de *laboratoires*. Demandez qu'on les multiplie et qu'on les ouvre. Ce sont les temples de l'avenir, de la richesse et du bien-être. C'est là que l'humanité grandit, se fortifie, et devient meilleure. »

Louis Pasteur

PARIS, LE 6 DÉCEMBRE

CATHERINE consulta sa montre : dans cinq minutes il serait 18 heures. Claude lèverait le visage de son microscope, se frotterait les yeux tel un rêveur regagnant la réalité par petites étapes. Catherine essaya de contrôler le tremblement de ses mains. Ridicule... De quoi pouvait-elle avoir peur? Marie-Thé, assistante de Claude, refermerait son cahier de labo à 18 heures pile.

A ce moment précis tout se déciderait.

Les caractères se brouillèrent sur l'écran de l'I.B.M. PC dont Catherine était la seule à savoir se servir dans cette section de l'Institut Pasteur. Ou bien Claude Duprès, son chef de service, partirait le dernier ou bien il la laisserait fermer le labo. Dans ce cas seulement elle pourrait...

Les quelques dernières minutes s'étiraient interminablement. « Ils vont entendre battre mon cœur, pensa Catherine. Tu n'as pourtant rien à craindre. Sans doute même pas une engueulade. » Mais le code moral qu'elle s'était imposé régentait chacune de ses actions. Et ce qu'elle avait décidé d'entreprendre aujourd'hui allait à l'encontre de ses propres règles.

Aucune substance ne devait quitter le laboratoire!

Avant d'être testées sur un échantillonnage – le plus large possible – de volontaires, les molécules nouvelles provenant du service du docteur Zellmeyer étaient soumises à toutes les formes possibles « d'administration » : la meilleure performance de la molécule s'obtiendrait-elle sous forme d'injections, de gouttes, de comprimés, de gélules, de spray, de crèmes, voire même de cataplasmes? L'Institut Pasteur, comme tout laboratoire de haut niveau, ne laissait à personne le soin de déterminer le précieux conditionnement de ses molécules. L'espionnage pharmaceutique avait pris tant d'ampleur qu'il était d'usage de détruire les échantillons chaque soir par incinération. Claude Duprès se leva enfin. Il ôta sa blouse et l'accrocha soigneusement dans la penderie, aussitôt imité par Marie-Thérèse.

– Qui ferme la boutique? demanda-t-il.

Catherine se proposa :

– Je finis de classer l'analgésique 275 et je détruis la Substance B.

Substance B! Elle avait réussi à prononcer les mots. Elle sentit le regard de Claude se poser sur elle et se mordit les lèvres.

– Vous m'avez l'air un peu nerveuse, dit-il. Un problème?

Le visage de Catherine s'éclaira d'un pâle sourire.

– C'est l'écran qui me rend toute verte.

Claude Duprès approcha d'elle, le regard inquisiteur. Elle sursauta.

– Rentrez chez vous tout de suite, suggéra le chef de service d'une voix douce. Vous travaillez trop.

Les mains de Catherine se crispèrent sur la pile de documents.

– Je vous assure, je me sens en pleine forme. Avant le week-end, j'aime faire le ménage.

Marie-Thérèse s'en mêla. Elle prit Claude par le bras et lui décocha un regard impatient et sans équivoque.

– O.K., décida-t-il alors. Finissez votre boulot et essayez d'avoir meilleure mine lundi.

– Bon week-end, Catherine, ajouta Marie-Thé.

Elle s'arrêta sur le pas de la porte.

– Alain vient te chercher?

– Non, répondit Catherine. Il travaille à sa thèse. C'est moi qui ai la voiture.

– Embrasse-le pour moi.

La porte à double battant se referma.

Catherine se retrouva seule. Enfin... « Je me comporte comme une voleuse, alors que je ne fais vraiment rien de mal! »

A côté du microscope, posés dans un panier en plastique, deux sachets transparents étiquetés et marqués à l'encre rouge d'un B majuscule attendaient leur destruction. Catherine parcourut les trois mètres la séparant de la table de Claude, saisit l'extrémité des deux enveloppes réunies par un élastique et, un instant, fut tentée de traverser la salle, d'actionner l'incinérateur et de les y jeter comme elle s'y était engagée sur l'honneur au moment de sa prise de fonctions.

– De la poudre blanche, murmura-t-elle sans s'en rendre compte, persuadée que ses pensées ne franchissaient pas la frontière de ses lèvres. Blanche comme l'héroïne.

Et ce nom simplet : « B »! La Substance B. B pour bonheur. Une molécule de synthèse révolutionnaire qui n'aurait pas dû voir le jour avant le vingt et unième siècle sans la conjonction miraculeuse du hasard et de la volonté du docteur Zellmeyer.

Mais de quoi était faite la science?

Les deux sachets étaient déjà dans la poche de son

jean. Elle ramassa alors les feuillets éparpillés sur la table de Marie-Thérèse et en fit une pile bien ordonnée. Elle traversa ensuite la salle, brancha l'incinérateur, le laissa fonctionner quelques secondes à vide puis elle revint à son pupitre, s'assura de la conservation du programme sur la disquette, déconnecta l'ordinateur, éteignit la lampe du microscope de Claude et enfin ôta sa blouse. Elle jeta un dernier coup d'œil derrière elle, ramassa son sac et, résolument, s'engouffra dans le couloir.

Le hall était désert. Même la standardiste était déjà partie. Catherine récupéra son loden au vestiaire, franchit la porte coulissante qui menait au parking. Quelques voitures s'y trouvaient encore : sa vieille Peugeot, le break de Maurice, le gardien, la 205 Turbo du Docteur Zellmeyer, et puis, nickel, la CX Pallas de Joliot, le patron.

Quelques minutes plus tard, Catherine roulait dans la morne rue de Vaugirard. Le laboratoire se trouvait loin derrière elle.

Il se mit à pleuvoir. Elle actionna les essuie-glaces. Sans succès. Elle éclata de rire. « Si Dieu existe, n'est-il qu'un comptable mesquin des joies et des peines? Un fusible contre deux sachets de Substance B, la punition est légère. Pourvu que ça marche! »

Catherine travaillait à l'Institut Pasteur depuis huit mois, mais elle savait que la Substance B était en expérimentation depuis plus de trois ans. Les tests effectués sur les animaux n'avaient révélé aucun risque d'accoutumance, aucune contre-indication, aucun effet secondaire. La Substance B était le « meilleur cheval » de l'Institut Pasteur. Le remède absolu. Un psychotrope parfait comparable en progrès technologique à la découverte et à la maîtrise de l'atome. La Substance B était parfaite! « Parfaite, se répéta Catherine en tirant sur le levier de vitesses dont la fourchette émit un grincement douloureux. Il faut qu'elle soit parfaite. Alain ne peut pas continuer comme ça. Sinon c'est l'abîme... pour nous deux. »

Ses yeux s'embuèrent.

Elle vivait avec Alain depuis quatre ans. Ils s'étaient rencontrés à Jussieu, où les étudiants ambitieux travaillaient en outre un certificat de biochimie. Catherine venait à peine d'entamer ses études de pharmacie. Alain achevait sa troisième année de médecine. Tous deux d'origine modeste, ils avaient juré de s'en sortir. Mais les études coûtaient cher, et lorsque Alain avait perdu son père, il avait été contraint de chercher du travail. Depuis plus de deux ans, il avait étudié le jour, entrevu Catherine le soir et assumé ensuite la noble fonction de gardien de nuit.

D'abord il perdit le sommeil, puis devint irritable, coléreux. Peu à peu, sa tension s'était muée en une angoisse permanente, et il se livrait à des consommations abusives de médicaments « pour tenir le coup ».

Catherine avait interrompu ses propres études. Par amour. Parce qu'il fallait bien vivre. Parce qu'un des deux au moins devait se sacrifier et que c'était à son tour de le faire. Mais l'état d'Alain n'avait fait qu'empirer. Valium, Témesta, Tranxène, Séresta, Urbanyl ponctuaient la ronde de ses nuits agitées. Il contrebalançait l'effet des somnifères et des hypnotiques par les excitants les plus divers, des vitamines aux amphétamines. Facile quand on est externe. Les périodes de colère irraisonnée et de totale prostration alternaient. Alain s'accrochait à ses études avec un entêtement obsessionnel. Il lui arrivait de travailler soixante-douze heures d'affilée, sans manger ni dormir, ni absorber autre chose que ses drogues. Vingt fois il relisait la même page qu'il n'arrivait plus à fixer dans sa mémoire.

Et il ne la touchait plus depuis quatre mois. Catherine sentit une onde de chaleur l'envahir au souvenir de leurs premières étreintes. Elle était en manque. Dans combien de temps accepterait-elle les avances de Claude Duprès, déjà lassé de Marie-Thérèse...

– Non, gronda-t-elle, les mains crispées sur le volant. Non! Non! Ça va marcher. Il faut que ça marche. Il n'y avait qu'à voir Oscar! Oscar, un Maccacus rhésus particulièrement féroce, était devenu la mascotte du docteur Zellmeyer.

Un mois de traitement sous Substance B l'avait rendu aussi docile qu'un chien, sans diminuer aucune des particularités de sa race, vivacité d'esprit, souplesse musculaire, curiosité, malignité. Mais Alain n'était pas Oscar!

– Tant pis, conclut Catherine en se forçant à sourire. On leur trouvera bien des ancêtres communs...

La 304 venait de s'engager dans une misérable ruelle se terminant en impasse. Catherine chercha une place pour se garer.

– Tu les as? Tu as réussi à en piquer?

Alain l'attendait sur le pas de la porte. Le salon-salle à manger-cuisine-bureau de leur minuscule deux-pièces était dans un état de désordre indescriptible. Alain avait eu un nouvel accès de fureur en se rendant compte qu'il avait tout oublié des vingt pages patiemment apprises au cours de la journée. Il avait éventré les fauteuils et vidé la poubelle à même le sol. Une odeur putride s'élevait dans la pièce principale et prenait aux narines depuis le palier. Catherine se força à garder son calme.

– Alors? s'impatienta Alain.

Elle referma la porte derrière elle, le nez plissé en une moue de dégoût, et se précipita pour ouvrir la fenêtre. Un courant d'air glacé s'engouffra dans le salon-bureau, balayant les odeurs.

– Je sais, ça pue, gronda Alain. Cet immeuble pue. Ce quartier pue. Je pue. Et mes putains de neurones sont en train de se putréfier.

Il ne s'était pas rasé depuis deux jours. Ses yeux étaient striés de rouge. Il se dressait devant elle, la dominant d'au moins vingt centimètres, les poings serrés, comme un animal sur le point de bondir. Mais elle n'avait pas peur. Elle souffrait pour lui. Même dans ses colères les plus fortes, Alain ne se montrait jamais violent. Il était incapable de faire le moindre mal, sauf à lui-même.

– Tu n'as pas osé, souffla-t-il. Encore ta morale à la con!

– Si, j'ai osé. Je les ai. Mais je veux être sûre que tu as tenu ta promesse.

Alain parut se ressaisir. Il traversa la pièce vers le coin cuisine, fit couler l'eau du robinet et s'en versa un grand verre.

– Quelle promesse?

– Celle de n'absorber aucune substance chimique pendant au moins vingt-quatre heures. Les tests d'incompatibilité ne sont pas achevés. On ne connaît pas encore le comportement de la molécule en présence d'autres substances...

Alain tendit les bras devant lui.

– Regarde mes mains. Tu vois, mes tremblements ont repris. D'ailleurs tu m'as confisqué toutes mes drogues depuis hier soir.

Catherine se détendit. Alain était parfois irrationnel, mais il mentait rarement. A elle, jamais.

– D'accord, mon cobaye chéri. Voilà tes deux sachets.

D'abord par jeu puis par accoutumance, Alain s'était mué en un remarquable inquisiteur : il percevait dans son organisme le subtil cheminement des drogues et les altérations qu'elles lui procuraient : le sentiment d'irréalité et de détachement après l'absorption de Valium, la somnolence qui engourdissait ses muscles sous Témesta, l'euphorie provoquée par le Tranxène avant le plongeon brutal dans le néant. Cette fois, il n'éprouvait rien. Il remarqua que ses mains ne tremblaient plus. Ses pulsions névrotiques s'estompaient comme un cœur qui retrouve son rythme.

Il se sentait... pas euphorique, non.

Il se sentait lui-même!

Lui-même sortant d'un long cauchemar.

Les pressions, l'angoisse semblaient avoir disparu.

Il avait l'impression de vivre en cet instant en parfaite harmonie avec le reste de l'Univers.

Il avait lu suffisamment d'ouvrages initiatiques pour être troublé par l'état de grâce dans lequel il baignait. Exister, simplement exister, sans en éprouver la moindre culpabilité relevait du miracle.

Catherine s'éveilla. Les persiennes à demi fermées dessinaient sur son buste des plans géométriques d'ombre et de lumière.

Elle cherchait sa main.

– Alain?

Deux heures déjà qu'il avait avalé le contenu du premier sachet. Et depuis, elle attendait. Elle le guettait, n'osant manifester son appréhension autrement que par sa présence. Il n'avait pas prononcé une seule phrase. Catherine se tourna lentement. Sa poitrine effleura l'épaule dénudée d'Alain et ce simple contact la fit tressaillir.

– Comment... comment te sens-tu?

– Catherine, murmura-t-il.

Et sa voix contenait autant d'étonnement que de douceur. Il l'attira à lui.

Le hurlement du signal d'alarme de la banque réveilla Catherine en sursaut. Cela se produisait souvent, particulièrement le week-end, et la sirène ne se tairait pas tant que la police n'aurait pas été avertie.

– Maudits systèmes électroniques!

Catherine porta les doigts à ses oreilles. Puis soudain se souvint. Le jour envahissait la chambre. Alain n'était plus dans le lit. Elle rabattit aussitôt les couvertures, passa nue devant la fenêtre sans se soucier d'être vue.

– Onze heures! s'étonna-t-elle. Comment ai-je pu dormir aussi longtemps?

Ses sens apaisés, ses muscles courbatus et la douce langueur qui l'habitait lui donnaient la réponse.

– Je rêve. Je n'ai pas vraiment vécu cela. Pas simplement grâce à un peu de poudre blanche.

Elle se précipita dans le bureau d'Alain, inquiète à l'idée qu'il subissait peut-être déjà le contre-effet – lequel? Les tests n'en avaient décelé aucun! – de la dose absorbée. Alain se concentrait sur un ouvrage. Il releva la tête. Elle fut aussitôt rassurée. Son visage paraissait reposé. Et il souriait.

– Déjà debout, zigoto? Je n'ai pas fait trop de bruit au moins?

Catherine l'étreignit, se laissa glisser à genoux près de lui.

– Alain, tu t'es regardé? Je ne t'avais pas vu comme ça depuis... Depuis...

Sa voix se noua. Il déposa un baiser sur son front.

– Tu ne vas pas pleurer maintenant que tout va bien! Je te fais un café et ensuite je t'annonce la grande nouvelle.

Catherine remarqua enfin l'état de la pièce. Pendant son sommeil, il avait tout rangé et fait la vaisselle. Dans un vase, un splendide bouquet de roses trônait au milieu de la table. Une odeur de café envahit la pièce.

– Et maintenant, la nouvelle! annonça-t-il joyeusement. Catherine, écoute ça. « En 1977, l'équipe scandinave de Souires et Braestrup avant Molher et Okada chez Roche à Bâle a démontré qu'il existe dans le cerveau des sites de fixation spécifiques pour les benzodiazépines... »

Il récita d'une traite deux bonnes pages du programme médico-scolaire avant de conclure, plein d'enthousiasme :

– Sais-tu quelles âneries je viens de débiter?

Catherine hocha la tête avec enthousiasme.

– Un de tes cours, je suppose?

– Oui! Mais pas n'importe lequel. Celui de la semaine dernière!

Il entreprit un petit pas de danse, une tasse de café bouillant à la main et, sans la renverser, rejoignit Catherine.

– Ma mémoire est revenue. Ma joie de vivre est revenue. Mon amour est revenu. Mon Dieu, Catherine, il faut raser immédiatement l'Arc de Triomphe et à sa place faire édifier une statue au docteur Zellmeyer. Ah! autre chose!

Il trempa ses lèvres dans la tasse et fit une grimace.

– C'est dégueulasse! Je me demande comment j'ai pu en boire deux litres par jour.

Il la regardait tendrement.

– Faisons une surprise à tes parents. Allons déjeuner chez eux.

Catherine entrouvrit les lèvres, stupéfaite. Alain proposait spontanément de se rendre chez ses parents. Lui qui refusait de les voir depuis plus de deux ans, sous prétexte qu'ils s'obstinaient à ne pas les aider tant qu'ils n'auraient pas officialisé leur union.

– Je ne sais pas si la Substance B t'a rendu fou,

mais dans ce cas, je souhaite au monde entier de perdre la raison!

Dans la région parisienne, la météo ne se trompait que lorsqu'elle annonçait du beau temps. A peine eurent-ils quitté la bretelle de l'autoroute du Nord en direction de Senlis qu'une pluie fine se mit à tomber. Alain conduisait prudemment. Peu confiant en l'état de son véhicule, il ne dépassait pas le cent kilomètres-heure.

– Un bout de temps que nous ne sommes pas venus dans le coin. Tu sens cette odeur de terre humide?

– Moi, je trouve que ça sent plutôt l'huile chaude, railla Catherine.

– Fais comme moi. Baisse ta vitre!

Malgré le froid et la pluie qui se faisait de plus en plus forte, Alain avait le coude posé sur le rebord de sa portière. Le chauffage du véhicule ne fonctionnait plus depuis des lustres, ainsi que l'autoradio, mais Alain se comportait comme s'il roulait en plein été. Il sifflotait, accompagnant une musique imaginaire. La petite route gravissait des côtes, traversait des champs et des villages, s'enroulait paresseusement autour des vastes étendues de terre ensommeillée sur lesquelles bovins et chevaux n'attendaient qu'une éclaircie pour paître à nouveau.

Catherine observait Alain discrètement, peu émue quant à elle par cette campagne française somme toute assez banale. Ce perpétuel sourire qui illuminait son visage n'avait rien d'artificiel ni de forcé. Il se comportait tout simplement comme un enfant dont la vie n'a pas encore terni l'enthousiasme. « Si seulement je pouvais en parler à Zellmeyer, pensait Catherine. Mais comment lui dire? » Elle était tout à la fois excitée par le résultat inespéré de la Substance B sur Alain, et terrifiée par le risque qu'elle avait pris. « Le docteur Zellmeyer m'aurait peut-être donné les sachets sans problème... Si je pouvais rentrer dans son service... » Elle en rêvait pour l'aura particulière, la ferveur scientifique et la gentillesse légendaire de ce chef de service. Mutation utopique dans l'immédiat, compte tenu de son manque d'expérience. « Contente-toi de vivre l'instant présent... »

La 304 s'engagea sur une route départementale aux accotements déjà détrempés. Le village dans lequel les parents de Catherine géraient une minuscule coopérative agricole ne se trouvait plus qu'à six ou sept kilomètres. En été, la route s'enfonçait sous une voûte de feuillage, mais les platanes en cette saison ne faisaient que s'aligner tristement. Un dernier lacet, puis la départementale s'élança en ligne droite.

Alain accéléra.

– Je ne sais jamais s'il faut tourner à droite ou à gauche après ce bosquet?

L'aiguille du compteur tremblotait autour de quatre-vingts kilomètres-heure.

– C'est ton dernier blocage, le taquina Catherine. L'adresse de mes parents...

Elle acheva sa phrase sur un cri.

Cachée par le bosquet, une R5 venait de surgir sans respecter la moindre priorité. A moins de vingt mètres!

La masse du véhicule parut catapultée vers eux.

Alain écrasa le frein tandis que ses mains se crispaient sur le volant. Les pneus usés de la 304 s'accrochaient vainement à l'asphalte détrempé. Un coup de klaxon déchira le silence de la campagne. Le véhicule livré à lui-même se mit en travers et amorça un dérapage qu'Alain contrebalança aussitôt d'un coup de volant et d'un relâchement du frein. La voiture mordit le bas-côté dans un geyser de boue. La roue arrière heurta un talus et la 304 se souleva, donnant l'impression qu'elle allait basculer, se retourner et amorcer une série de tonneaux. Mais elle retomba pesamment et reprit sa course folle vers la R5.

La bouche ouverte en un cri muet, les muscles tétanisés, Catherine aperçut le visage effroyablement proche de son conducteur. A la dernière seconde, Alain accéléra et arracha un dernier effort à son moteur. La 304 fit une ultime embardée, frôla la calandre de la Renault, et quelques mètres plus loin acheva sa course. Sans une égratignure.

La scène tout entière n'avait pas duré deux secondes.

Le conducteur de la R5 approcha de leur véhicule. Il était blême.

– Ça va? Vous n'avez rien?

– Rien, répondit Catherine d'une voix tremblante. Il s'en est fallu de peu.

Avec l'inconscience des mauvais conducteurs, l'homme lui adressa un petit signe amical puis, sans même s'excuser, reprit sa route.

Alain se taisait, immobile, prostré. Hébété, les poings crispés sur le volant, les yeux révulsés, il semblait au bord de l'évanouissement. Puis il se mit à transpirer, à grincer des dents. Son regard se chargea de haine. Catherine ne parvenait pas à articuler un seul mot, effrayée par cette métamorphose. Le moteur tournait toujours. D'un geste automatique, Alain enclencha la première.

– Il a voulu me tuer!

– Tu me fais peur, Alain. Repose-toi, je t'en prie, tu es en état de choc.

La 304 prit de la vitesse. Alain passa la seconde, puis la troisième, accélérant toujours. La R5 qui avait disparu devint un point à l'horizon dont il se rapprochait.

– Alain, arrête! Tu n'es pas en état de conduire.

– IL A VOULU ME TUER!

Il hurlait.

Catherine tenta de saisir la clef de contact, mais Alain lui enserra le poignet et le tordit. Sa force était décuplée. Catherine gémit. Il la repoussa brutalement, enclencha la quatrième et écrasa l'accélérateur.

Catherine éclata en sanglots.

– Tais-toi! hurla Alain. Je ne supporte pas tes cris.

Tenant le volant de la main gauche, il lança son poing sur elle, la roua de coups, frappant au hasard son corps ou son visage. Catherine se recroquevilla, aveuglée par les larmes. Elle voulut ouvrir la portière et sauter, mais il la retint et enfonça méchamment ses doigts dans la chair tendre de son bras.

– Il a voulu me détruire, vous essayez tous de me détruire!

– Je t'en supplie, lâche-moi! Tu me fais mal!

La route traversait un village en ligne droite. Sur le seuil du café-épicerie, deux paysans regardèrent passer ce bolide lancé à plus de cent trente kilomètres-heure. La départementale croisait une voie ferrée un kilomètre plus loin, et le conducteur de la R5 la traversa juste au moment où le feu rouge se mit à clignoter. Le passage à niveau n'était pas protégé. A droite grossissait la masse d'acier effilée de l'express Paris-Lille lancé à pleine vitesse.

Le moteur de la 304 commença à faire entendre un bruit alarmant de pistons malmenés. Alain ne s'en souciait pas. Il avait le regard rivé sur l'arrière de la Renault. Il la rejoindrait bientôt. A bord se trouvait l'homme qui avait tenté de le tuer. Il allait payer. Catherine paierait ensuite. Il la jetterait sur la route puis roulerait sur son corps, une fois, deux fois. Jusqu'à ce qu'il ne soit plus menacé. Sa main la cherchait, s'agrippait, griffait, puis se refermait pour s'abattre de nouveau. Catherine tentait de se débattre, la bouche ouverte en un hurlement interminable.

Un long sifflement dans le lointain. Une tache rouge qui clignote sur l'opacité mouvante du pare-brise inondé.

Catherine aperçut la masse de couleur vive qui s'approchait à toute vitesse. Alain ne la vit pas. La douleur était trop forte. Le bruit, effroyable. Battements de son cœur qui résonnaient dans sa tête, cris de Catherine qui lui vrillaient les tympans, claquements du moteur qui s'essoufflait, grondement qui s'amplifiait tandis que mille sirènes explosaient dans son crâne.

– Alain!!!

La puissance du choc démantela le véhicule, projeta la partie avant et le moteur sur plus de cent mètres, traîna l'habitacle et ses occupants sur près de six kilomètres avant que le conducteur du train ne puisse stopper son convoi. Sur un rayon de cinq cents mètres furent retrouvés des débris de corps humains et de métal que la mort avait atrocement soudés.

LOS ANGELES, LE 8 DÉCEMBRE

Le portail d'une vaste propriété juchée au sommet d'une élégante colline de Beverly Hills, à proximité de Mulholland Drive, coulissa avec un faible grincement et laissa pénétrer une longue Cadillac blanche. A l'intérieur se trouvait Franck Bauer, président de la Morgan Chemical, deuxième groupe pharmaceutique américain derrière Merek, Sharp and Dowe.

Il attendit que le portail se referme derrière lui et qu'apparaisse un garde. Celui-ci ne devait pas avoir vingt ans. Vêtu d'une robe de lin crème semblable à une djellaba, il portait un cristal en forme de cœur suspendu par un fil d'argent sur la poitrine. Il avait les traits fins et réguliers, presque féminins. Son expression oscillait entre la béatitude et l'ascèse. La lueur égarée de son regard ne trompait pas : le jeune homme n'élevait pas sa spiritualité uniquement par la méditation. Il fit signe de baisser la vitre. Son sourire était chaleureux, quoique sensiblement hagard.

– Si vous transportez des armes, je vous prierai de bien vouloir me les remettre. De même que les cigarettes, et si vous avez mangé en chemin, les restes du repas. Le révérend Oram ne supporte pas la présence d'éléments vibratoires négatifs.

– Ni nourriture ni arme, répondit Franck Bauer. Mon chauffeur fume, mais il restera dans la voiture.

– Parquez votre véhicule devant la véranda et attendez que le révérend Oram vous fasse conduire jusqu'à lui. Prenez patience. Nous devons contrôler vos énergies avant de vous permettre d'approcher Sa Présence.

Franck Bauer éprouva une pointe d'agacement.

– Oram sait que je viens parler affaires. J'ai passé la journée dans l'avion et Beverly Hills n'est pas vraiment à côté de l'aéroport. Ces rituels sont-ils absolument nécessaires? Je suis sûr qu'il peut faire une exception.

– C'est la règle, répondit fermement le jeune homme. Si vous sortiez avant que nous vous ayons contrôlé, tous nos frères ressentiraient vos énergies et souffriraient.

Bauer se résigna et ferma sa vitre.

La Cadillac gravit un chemin en lacets entouré de fleurs tropicales et s'arrêta devant le perron d'une bâtisse blanche style Renaissance flanquée de tourelles moyenâgeuses : une demeure suffisamment vaste pour abriter une cinquantaine d'âmes. Le mélange des genres était étrange, mais peu surprenant à Beverly Hills, où les riches propriétaires rivalisaient d'extravagance depuis un demi-siècle. Dès que le chauffeur eut coupé le contact, la porte s'ouvrit sur une délégation de jeunes filles portant des robes semblables à celle du garde, mais plus transparentes. Le soleil traversait le feuillage d'une haie de cèdres blancs et en projetait l'ombre sur la voiture. Le ciel avait viré du pourpre au mauve et le visage des jeunes filles était ambré. Elles s'assirent sur le sol en arc de cercle, le visage tourné vers la vitre teintée de Franck Bauer. Chacune posa un cristal sur ses genoux et disposa ses mains en coupe, le pouce et l'index rejoints à la verticale.

– Elles sont en train de me contrôler, plaisanta Franck Bauer.

Le chauffeur émit un rire un peu tendu. Il ne pouvait détacher son regard des corps juvéniles pratiquement dénudés, à contre-jour sous la fine étoffe. Elles se ressemblaient comme des sœurs, arborant la même expression de plénitude et de sérénité.

– Parfait, songea le président de la Morgan Chemical. Elles y croient...

Par pure curiosité, il demanda une cigarette à son chauffeur et l'alluma. A peine eut-il glissé le filtre entre ses lèvres que la première jeune fille de la délégation se leva, le visage décomposé. Elle s'approcha du véhicule avec de grands gestes de réprobation. Bauer écrasa sa cigarette promptement et entrouvrit la vitre pour laisser échapper la fumée. Chacune reprit sa position.

Une demi-heure s'écoula.

Les jeunes filles se levèrent. Elles s'éloignèrent vers l'extrémité d'une des tourelles, sans un bruit, leurs pieds chaussés de sandales de soie, glissant sur le sol avec grâce.

Le garde du portail gratta à la portière.

– Vous pouvez me suivre maintenant. Le révérend Oram est prêt à vous recevoir.

Le chauffeur se précipita à l'extérieur et ouvrit la portière à Bauer. Sans attendre, le garde lui fit signe de le suivre et s'éloigna vers le passage emprunté par les jeunes filles.

– On n'entre pas dans la maison? s'étonna Franck Bauer.

– C'est la demeure de notre repos. Le révérend Oram va vous recevoir dans sa capsule intermédiaire.

Le président de la Morgan se retint de rire. Lui-même savait s'entourer des artifices nécessaires à la crédulité de sa fonction, mais il trouvait qu'Oram en faisait un peu trop! La « capsule intermédiaire » était une bulle, une immense tente gonflée d'air, comme celles qu'utilisent les conférenciers itinérants. Le chemin conduisant à l'entrée de la bulle était parsemé de cristaux de toutes tailles et de toutes couleurs.

Bauer fut emmené à l'intérieur.

– La voie qui vous a conduit jusqu'ici est-elle construite sur le plan vertical ou sur le plan horizontal?

Le révérend Oram était habillé d'une veste en tissu synthétique blanc et d'un pantalon de kimono. Sa poitrine était découverte. Un pendentif de cristal sculpté représentant un huit horizontal flottait entre les poils blanchis de son torse. Il était chaussé de sandales hautes à lacets et se tenait debout au milieu d'un cercle de jeunes filles qui le contemplaient avec vénération.

Un nombre équivalent de garçons leur tournait le dos et formait un second cercle extérieur. Ils regardaient Bauer avec bienveillance, les lèvres entrouvertes sur une prière muette. Oram n'attendit pas la réponse à sa question. Il se retourna et, sans regarder son hôte, prononça une série de chiffres. La lumière provenait du sol. Des lampes serpentaient contre les parois de la bulle, protégées par des blocs de cristal. La lueur oscilla. Clignota. Puis se stabilisa.

Oram se retourna de nouveau et plongea son regard dans celui de Bauer.

– Je vois en vous une énergie pointue. Acide. Votre champ vibratoire ne recherche pas la cinquième essence. Ce n'est pas la quête de la conscience qui vous a conduit jusqu'à nous. Vous êtes horizontal. Prisonnier de votre corps. Votre recherche est celle de la puissance. Prisonnier...

Le président de la Morgan écarquilla les yeux. Il avait traversé le continent pour rencontrer cet homme. Il eut envie de laisser exploser sa rage, mais se laissa hypnotiser par la voix monocorde et charmeuse du faux prêtre. « Il veut me faire une démonstration, pensa-t-il pour se calmer. Attendons la suite. »

Oram prononça d'autres chiffres. Cette fois, les lumières ne clignotèrent pas.

– Votre négativité a été canalisée. Nous sommes prêts maintenant à rejoindre votre plan pour dialoguer.

Il tapa dans ses mains.

– Vous pouvez vous retirer, mes enfants. Vos énergies ont créé un bouclier protecteur à l'abri duquel je vais réfugier ma spiritualité pour rejoindre les plans inférieurs de notre hôte. Sœur Isima vous conduira dans les champs et guidera votre méditation. Allez, maintenant.

Par couples, se tenant par la main, les jeunes gens contournèrent Franck Bauer en lui souriant. Il se retrouva seul avec le prêtre.

– Pas mal, votre séance. Emouvant.

– J'ai accepté de rejoindre votre corps alourdi. J'ai interrompu pour cela ma semaine de méditation et mon voyage cosmique. Je suis près de vous et je vous écoute.

– Assez de boniments, Oram, siffla Franck Bauer. Ou dois-je vous appeler Jonathan Greenfield? C'est votre vrai nom, je crois, ou du moins celui sous lequel vous avez été arrêté en 1970 pour détournement et abus sexuel d'un enfant de quatorze ans.

– Les charges n'ont pas été retenues, protesta Oram, la voix soudain tendue.

– Je sais. Les parents ont reçu une forte somme d'argent et le gosse ne vous a plus reconnu. En 1974, quatre cents grammes d'héroïne pure ont été découverts dans votre villa de West Hollywood alors que vous preniez quelques jours de repos à Puerto Vallarda. Votre caution a été portée à deux cent mille dollars et payée immédiatement. Vos invités n'ont pas eu la même chance. Deux d'entre eux ont écopé de dix-huit mois. Deux ans plus tard, vous avez obtenu l'autorisation de fonder une congrégation religieuse d'inspiration tantrique, aidé en cela par la souplesse des lois californiennes. D'après ce que je viens de voir, vous avez pris des cours...

L'expression d'Oram changea immédiatement. Une lueur cruelle flotta dans ses yeux clairs et sa bouche se crispa. Son sourire éthéré, son masque de prêtre bienveillant avaient disparu.

– Vous êtes venu parler affaires. Que cherchez-vous exactement?

Bauer fut soulagé. Il haïssait cette mission dès avant de l'entreprendre, mais Oram représentait la secte la plus populaire parmi les « pacifistes ». Le nombre de ses disciples égalait celui des « moonistes », et la plaçait devant l'Association pour la conscience de Krishna, la Mission de La Lumière divine, l'Eglise scientologique et les Enfants de Dieu. Une puissance monétaire représentant des dizaines de millions de dollars de dons et de cotisations.

– Voilà qui est mieux, soupira-t-il. Au moins nous avons rejoint le même plan, révérend Oram. Je vais donc cesser les hostilités et vous exposer le but de ma visite.

La curiosité avait remplacé la haine dans le regard flamboyant du prêtre.

– Je suis venu vous parler d'une pilule, attaqua Bauer. Et vous proposer un accord commercial...

Il s'était tenu jusque-là éloigné d'Oram. D'une démarche étonnamment souple compte tenu de son imposante stature, le président de la Morgan Chemical traversa l'espace cimenté qui le séparait du prêtre.

– Le projet que j'ai en tête dépasse sans aucun doute la mesure de vos propres ambitions.

Il s'arrêta à quelques centimètres de lui, le dominant de toute sa puissance physique. C'était sa façon de procéder lorsqu'il entreprenait une négociation. Sa position de demandeur lui était trop inconfortable pour qu'il ne tente pas d'inverser les rôles. Il tendit la main en avant dans l'intention de soupeser le médaillon d'Oram pour étayer son ascendant. Impassible, le prêtre l'observait. Dans ses prunelles démesurées, d'un noir brillant, flottait une lueur infiniment dangereuse. Bauer arrêta son geste, perdit de son assurance et s'essuya machinalement la paume sur le revers de sa veste.

– Vos disciples se comptent par centaines de milliers, reprit-il. Et les drogues qu'ils absorbent ont été rebaptisées par vos soins « Herbe de la lumière bleue » ou « Poussière du Nirvana »... Supposez que mon laboratoire soit à même de vous fournir une nouvelle substance plus puissante que toutes celles connues à ce jour, sans aucune nocivité, et qui rende vos adeptes heureux et dociles... à jamais!

Oram parut se détendre. Un sourire, mélange de doute et de cupidité, atténua la dureté de ses traits.

– Une entreprise aussi prospère que la vôtre aurait-elle besoin d'argent?

Bauer comprit qu'il venait de remporter une première victoire.

– Je suppose qu'il existe un endroit plus discret pour en discuter.

PARIS, LE 9 DÉCEMBRE

Le regard rivé sur les mornes tours du groupe de nouveaux H.L.M., le jeune gardien de parking n'avait qu'une idée en tête : la tasse de café bouillant qui l'attendait dans sa guérite. C'était sa première journée de travail au centre de recherche médicale de l'Institut Pasteur. Il lorgna cependant la 205 Turbo, et surtout son contenu, avec intérêt. La jeune femme brune qui se tenait au volant entrait dans ses standards personnels, mais ne correspondait pas exactement à l'idée qu'il se faisait d'une laborantine.

Il leva la main et se pencha sur la vitre.

– Vous désirez, mademoiselle?

– Zellmeyer, répondit la créature au nez retroussé en souriant.

– Vous voulez voir le docteur Zellmeyer? Je crois qu'il n'est pas encore arrivé. Je ne l'ai pas sur ma fiche.

– Je suis le docteur Zellmeyer, lança la jeune femme, visiblement ravie de sa réaction.

Le garde compara fébrilement le numéro de la plaque minéralogique avec ceux de la liste. Il y figurait.

– Vous êtes vraiment...?

Clara Zellmeyer éclata de rire et, démarrant sur les chapeaux de roues, le planta pour se garer à sa place habituelle. Lorsqu'elle s'extirpa de son véhicule, le garde put constater que sa silhouette n'avait rien à envier à son visage.

– Ça alors! marmonna-t-il. Toubib et bandante, c'est trop!

Clara se dirigea vers l'ascenseur et oublia l'incident, à peine arrivée. Une pile de documents s'amoncelait sur sa table de travail. Accablant. La porte s'ouvrit.

– Clara!

– Bonjour, petit génie.

Le visage carré d'Olivier Garcinot s'éclaira.

– Hé, Clara, vous êtes en forme! C'est le premier compliment que je vous entends...

– Ne vous y trompez pas, Olivier. Je pensais à ce genre de petit monstre qui vous tire par les pieds la nuit et entasse des monceaux de notes illisibles sur le coin de votre bureau pour vous filer une pression dès le lundi matin.

Son assistant se rembrunit. Ce qui ne l'empêcha pas de reprendre aussitôt :

– Pour ce qui est de vous tirer les pieds, je vous promets un autre divertissement si vous acceptez une nuit avec moi...

Clara s'installa dans son fauteuil et posa ses jambes sur le bureau. Sa jupe remonta au-dessus du genou mais il n'y avait aucune provocation dans son geste.

– Comment va Oscar?

Olivier s'adossa contre la porte et dit d'un ton d'envie :

– Le Maccacus rhésus de Madame est en pleine forme. Il ne serait pas votre enfant naturel? Une mère n'aurait pas plus d'attentions...

– Dans ce cas, il ne pourrait ressembler qu'à son père. Et je ne me souviens pas avoir eu avec vous la moindre relation extraprofessionnelle!

C'est ainsi qu'ils commençaient la journée, par un peu d'enfantillages avant de passer aux choses sérieuses. Sans changer de position, Clara tendit le bras et feuilleta la pile de documents. Derniers rapports de l'animalerie sur le comportement des vingt cobayes en observation, notes administratives, listings informatiques, revues médicales.

– Routine! Paperasses! Lenteurs! Et cette autorisation qui aurait dû nous parvenir depuis au moins six mois! Qu'attendent-ils? Que la courbe des suicides ait atteint son seuil critique? Que les hôpitaux psychiatriques soient pleins à craquer? Bientôt la fin de l'année. Ça va être pire dans les hôpitaux et dans les prisons! La Substance B n'a pas encore été testée sur l'homme, alors que tous les pontes de l'Institut conviennent qu'elle est le plus grand psychotrope jamais découvert.

Elle eut un rire d'excuse.

– Pardon, je manque de modestie.

– Les animaux aussi souffrent parfois de dépression. Sans compter leur agressivité naturelle sur laquelle elle agit de façon remarquable.

Olivier faillit faire allusion à Oscar mais se retint. Clara soupira.

– Il n'y a rien de comparable! A-t-on jamais vu des animaux atteints de peur existentielle!

Elle replaça ses jambes sous le bureau, ouvrit un tiroir, en sortit une paire de lunettes qu'elle chaussa. Clara aurait pu fort bien s'en passer. Mais c'était sa « marque ». Un peu comme le « docteur » qui précédait son nom. Le mythe de la femme-objet était encore tenace dans le milieu de la recherche médicale. Une jeune diplômée pouvait difficilement associer élégance, attrait physique et intelligence sans être suspecte. « Dans ce milieu, le quotient intellectuel d'une femme est inversement proportionnel à la somme de son tour de hanches et de poitrine. Depuis la Substance B, on tolère mes talons aiguilles. » Bien droite dans son fauteuil, ses lunettes sur les yeux, elle gagnait effectivement cinq ans.

– La Substance B est trop parfaite. Voilà le problème, reprit-elle. Ils n'arrivent pas à croire qu'une telle molécule puisse exister. Sans le moindre petit défaut : ni effet retard ni accoutumance. Alors ils m'allouent des crédits depuis trois ans pour chercher une impureté dans ce cristal de roche...

Ses doigts pianotèrent sur le bureau et elle soumit sa bouche à une grimace comique qui plissait son nez et la faisait ressembler à une boudeuse Scarlett O'Hara. Signe d'une intense réflexion...

– Joliot veut vous voir, l'informa Olivier... Oscar attendra.

Elle se leva et s'apprêtait à sortir quand Olivier Garcinot lui demanda :

– Vous êtes sur un radeau, au milieu du Pacifique. Tout autour, des requins, tout en mâchoires. Qui jetez-vous à l'eau : Oscar ou Joliot?

Clara ne put s'empêcher de rire.

– Vous connaissez la réponse...

Lorsque Clara pénétra dans le bureau, le professeur était penché sur le brouillon de sa prochaine intervention à l'académie de Médecine : fallait-il opter pour « biotechnologie » ou « technologie médicale »? Il leva les yeux vers elle, remonta sur son front ses lunettes en forme de demi-lune et esquissa un sourire destiné à la femme plus qu'à la chercheuse. Antoine Joliot était à la mesure de l'immense bureau dans lequel n'importe quel visiteur éprouvait un sentiment de malaise. Même Clara. Une pièce ronde, meublée dans un style mussolinien, dont la baie vitrée s'ouvrait sur le morne spectacle du jardinet. Glacial.

Leur première rencontre, six ans plus tôt, lui revint en mémoire. Fait extrêmement rare, l'Institut Pasteur recrutait des collaborateurs. Joliot, débordé par le flot de candidats, s'était montré aussi désagréable qu'un grand patron peut se le permettre en période d'embauche. Vêtue d'un tailleur strict et élégant, mettant en valeur sa silhouette, Clara avait attendu pendant près de cinq minutes que le professeur daigne enfin lui manifester quelque intérêt :

– Asseyez-vous, mademoiselle.

Intimidée, Clara avait accepté le siège qu'il lui désignait. Joliot avait alors déployé son mètre quatre-vingt-quinze et, contournant son fauteuil, s'était posté derrière elle pour l'interroger. Clara était restée muette. Indifférent à son silence, Antoine Joliot avait entrepris une seconde révolution orbitale autour de la jeune femme.

Il l'agressa :

– Nos effectifs d'assistants sont au complet. Je doute d'ailleurs que vous souhaitiez abîmer de si jolies mains par la manipulation d'objets tranchants ou de matières visqueuses, voire corrosives.

Clara avait alors actionné le mécanisme de rotation de son fauteuil et s'était tournée vers lui.

– Professeur Joliot, vous êtes trop occupé pour perdre votre temps à engager des assistants. Si les différents écrans protecteurs qui mènent à vous m'ont laissée abuser de quelques-unes de vos précieuses minutes, c'est que je brigue un poste plus ambitieux qu'un emploi de laborantine.

Elle s'était levée à son tour.

– Même si la place de directeur de recherche n'est pas libre dans l'immédiat, ce n'est pas le spectacle de ma nuque qui vous convaincra de mes capacités à l'occuper.

La vague de colère passée, ses joues s'étaient empourprées tandis que Joliot la gratifiait pour la première fois de son sourire charmeur, retournait s'asseoir derrière son bureau et ouvrait son dossier. Clara avait été embauchée le jour même.

En six ans, Antoine Joliot n'avait pas changé. Même brutalité, même froideur. Seul son regard se nuançait d'une imperceptible lueur d'estime. Plus qu'à une véritable complicité, Clara l'attribuait à sa réussite professionnelle.

– M'avez-vous convoquée pour m'annoncer de bonnes nouvelles, professeur?

– Elles vous surprendront. Asseyez-vous.

Clara sacrifia au rituel. Dans un instant, Joliot allait se lever et la dominer de toute sa masse : il n'en fit rien.

Il reprit :

– Vous avez fait un sacré bout de chemin depuis six ans. Grâce à vos compétences mais avec mon soutien et celui de l'Institut. Je vais donc aller droit au but.

« Il me présente l'addition », pensa-t-elle.

– En trois ans, reprit Antoine Joliot, la recherche de la Substance nous a coûté quarante-huit millions de francs. C'est peu par rapport aux profits qu'on peut raisonnablement en espérer. C'est trop pour l'Institut. Mes actionnaires, Rhône-Poulenc et la SANOFI m'ont imposé des priorités fort coûteuses; entrer dans la course aux vaccins des M.S.T. Pour amener la substance au stade de la commercialisation, il faudrait cent millions de francs répartis sur les trois prochains exercices. Ils me les ont purement et simplement supprimés...

Clara se taisait, accablée.

– Je me suis battu, croyez-moi, jusqu'à proposer ma démission!

Malgré le compte rendu de sa défaite, Joliot semblait contenir une secrète jubilation... Aurait-il obtenu des compensations, des avantages personnels en échange de l'abandon du projet Substance B? Il reprit :

– En outre, le coût de fabrication de ce médicament est très supérieur à la norme. Sa rentabilité suppose une diffusion très large assortie d'un énorme effort publicitaire. Nous n'avons plus les moyens de l'assumer, et encourons des risques de piratage.

Enfin, la dernière raison est d'ordre moral. Croyez-vous que l'Institut puisse déclencher la révolution que la mise sur le marché de la Substance B va engendrer? Vous imaginez le nombre d'associations de parents, de ligues morales, de congrégations religieuses – sans parler des députés opportunistes que nos avocats devraient affronter?

Clara soupira.

– Il est un peu tard pour prendre conscience de vos responsabilités et de vos limites.

Un instant, elle crut que Joliot allait s'emporter. Aucun employé du laboratoire n'avait jamais osé lui parler sur ce ton. Mais le professeur se contenta de décroiser ses mains et de poursuivre :

– Il n'a, bien évidemment, jamais été question d'abandonner votre découverte. La subvention de l'Etat nous ayant été refusée, il ne restait plus qu'une solution : trouver un partenaire.

Clara sentit son cœur se serrer. De son attitude dans les minutes qui allaient suivre dépendaient sans aucun doute son avenir et celui de la Substance B, sa découverte, sa raison d'être depuis bientôt trois ans.

Joliot avait saisi une chemise et en feuilletait le contenu sans quitter la jeune femme du regard.

– Nous sommes enfin parvenus à un accord, reprit-il, avec un laboratoire américain dont vous connaissez sans doute la réputation, la Morgan Chemical. Je suis navré de vous avoir caché cet aspect des choses, mais j'étais tenu par le secret.

Clara blêmit.

– Et moi? Vous me reléguez aux analgésiques?

– Clara, sans ce contrat inespéré, nous aurions interrompu les recherches. Peut-être à jamais.

Un long silence s'ensuivit. Clara Zellmeyer ôta lentement ses lunettes, replia les branches et les posa sur la plaque de marbre qui la séparait du professeur. Elle cligna des paupières puis fixa ses prunelles vert pâle, presque dorées, sur Joliot. En cet instant il n'y avait aucune honte à user de toutes ses armes.

Elle reprit alors, détachant chacune de ses syllabes :

– Vous oubliez un détail, professeur. Je détiens, à titre personnel, cinquante pour cent du brevet protégeant ma découverte et je peux faire jouer la clause de conscience de mon contrat de travail...

– Soyez raisonnable, Clara. Vous ne feriez que retarder l'inéluctable. C'est l'affaire de plusieurs centaines de millions de dollars.

– Croyez-vous que la Morgan ait envie de se lancer dans un procès?

Clara s'interrompit. Joliot semblait s'amuser.

– Vous aviez prévu ma réaction, n'est-ce pas, professeur?

– Continuez, Clara, je vous en prie. Vos connaissances juridiques me passionnent.

– Très bien! Vous m'avez annoncé une bonne nouvelle. J'aurais dû vous laisser finir!

Joliot laissa retomber sur son bureau la chemise qui contenait le contrat.

– Entre les pages 6 et 7 il y a un blanc pour le nom du responsable que l'Institut déléguera aux Etats-Unis pour superviser l'accomplissement des recherches. Dites-moi, Clara, aimeriez-vous que ce nom soit le vôtre?

Il se leva, lui tendit la main.

– Félicitations, Clara. Maintenant vous allez négocier ferme sur les conditions! Et surtout ne me faites pas croire que cette promotion ne vous tente pas. Commençons par nous congratuler.

La jeune femme accepta la main tendue puis se ressaisit :

– D'accord, professeur. Je suis... J'allais dire : je suis enchantée. Mais il me manque encore un petit quelque chose pour l'être tout à fait.

Joliot la dévisagea avec curiosité.

– Je vous écoute, dit-il lentement, comme s'il s'attendait au pire.

– Oh! vous allez penser que...

– Dites toujours, je penserai ensuite.

Clara prit son courage à deux mains.

– Oscar! lâcha-t-elle dans un souffle.

– Pardon?

– Oscar... Un Maccacus rhésus de l'animalerie sous Substance B depuis trois ans, et... Bon, en trois ans, j'ai eu le temps de m'attacher à lui. Je sais bien que... Oh! et puis, pensez ce que vous voulez, je vous demande sa grâce, voilà!

Joliot éclata d'un rire tonitruant. Clara se mordit les lèvres : elle venait d'accorder sa revanche à ce macho impertinent. Elle haussa les épaules. La vie d'Oscar valait bien cette humiliation.

Joliot avait sorti son mouchoir et faisait mine de s'essuyer les yeux.

– Voyons, Clara, vous connaissez les règles! Un animal d'expérimentation, un cobaye. Où irions-nous si...?

– Avec tout le respect que je vous dois, je m'en fous, professeur! Je ne veux pas qu'on sacrifie Oscar. Quand il est arrivé à l'Institut, c'était une bête féroce. La Substance B en a fait un ange... Si cette découverte représente vraiment une victoire, il la symbolise. Alors? Que décidez-vous?

Joliot réfléchissait.

– C'est contraire à tous les règlements. Mais j'aurais mauvaise grâce à refuser. Votre protégé aura la vie sauve! Je m'arrangerai avec Lanfroid, le directeur du zoo de Vincennes.

Le visage de Clara s'éclaira d'un sourire qui exprimait un véritable bonheur. Joliot fut touché.

– Vous auriez dû me sourire comme ça plus souvent, murmura-t-il. Nos rapports en auraient été facilités!

Il s'éclaircit la gorge avant de poursuivre :

– Eh bien, Clara, puisque cette importante question est résolue, il me semble que vous pourriez retourner à vos occupations!

– Quand l'accord prendra-t-il effet?

– Vous connaissez les Américains, dit Joliot avec un petit sourire énigmatique. Ce sont des gens bien plus pressés que nous. Il faut dire qu'ils en ont les moyens.

Clara actionna l'interrupteur. La lumière jaillit brutalement, éclaboussant l'alignement des cages.

La jeune chercheuse s'avança dans la grande allée. Avec ses ampoules nues, son odeur de purin et de désinfectant et toutes ses cages vides, telle une prison désertée, l'animalerie lui avait toujours inspiré une secrète répulsion. « Peur, moi? » Dans le cerveau de Clara, accoutumée aux combats les plus féroces, s'inscrivirent aussitôt des signaux antipanique. Clara ne put s'empêcher de sourire : son cortex lui envoyait en prime une information parasitaire : la quantité d'énergie dépensée pour ne plus avoir peur pesait autant qu'un cours magistral à la faculté des Sciences.

– Je peux faire les deux, répondit-elle à ses neurones.

Depuis trois jours, l'équipe, réduite à son strict minimum, officiait à la chaîne sous le contrôle de la petite Isabelle Fisher. Clara lui faisait confiance. Elle préférait éviter le spectacle de ses chers cobayes débités en tranches, emballés dans des sacs en plastique, numérotés puis entassés dans la chambre froide. Tel était le protocole. Dieu merci, Oscar échapperait à cet horrible sort!

Clara s'approcha de la cage du macaque.

– Oscar!

Le singe répondit par de petits grognements ponctués de cris.

– Oscar, c'est moi.

Collé contre les barreaux, la main tendue vers elle, Oscar la fixait d'un regard étrangement doux. La jeune femme y déposa quelques noix. Tandis qu'il mastiquait, elle lui parlait dans un langage fait de mots inventés, de regards de connivence, comme une mère le ferait pour son petit bébé.

– Je viens te dire adieu, Oscar. J'ai fait de toi un gentil Maccacus rhésus. Tu te souviens quand t'es arrivé? Un vrai sauvage! Tu étais si teigneux que personne ne pouvait t'approcher.

La jeune femme se mit à rire. Sans la quitter des yeux, Oscar gloussa, ses bras interminables se battant les flancs.

Clara reprit :

– Tu as voulu trucider Leitienne. Ça a failli mal tourner. Elle t'aurait fait piquer, la chienne...

Oscar se grattait le fondement, signe d'une intense jubilation.

– Tu vas devenir une star : le macaque du docteur Zellmeyer! Avec ta photo dans tous les magazines. Bon, j'y vais. J'ai horreur des séparations qui n'en finissent plus.

Elle l'embrassa sur le museau, se détourna et s'éloigna rapidement. La lumière s'éteignit. La porte se referma. Seul dans l'obscurité, Oscar renifla bruyamment. L'odeur de Clara...

Adossée contre la porte, les yeux fermés, la jeune femme resta un moment immobile, puis donna un coup de poing rageur contre la cloison. Elle était furieuse contre elle-même. Le sauver, ce n'était pas assez. Elle aurait dû obtenir de l'emmener. Elle descendit l'escalier en colimaçon, rejoignit le couloir du rez-de-chaussée et poussa la porte qui donnait sur la cour intérieure de l'Institut. Elle s'arrêta et remarqua, stupéfaite, qu'une maigre végétation tentait d'humaniser le carré de béton. En trois ans, elle ne s'était pas arrêtée une seconde. La joie immense qui l'habitait depuis l'annonce de sa promotion s'évanouit soudain. A cet instant, le vénérable Institut, avec ses murs délabrés, son architecture extravagante lui apparut comme son véritable nid. On l'avait confinée dans une aile quasi introuvable du bâtiment. Isabelle Fisher et Clara elle-même avaient dû punaiser sur les murs de l'Institut un véritable fléchage sur du papier d'écolier. Ainsi les savants et les journalistes de tous pays pouvaient accéder à cette lointaine dépendance après un laborieux parcours du combattant.

Dans l'animalerie, sous la faible lumière bleutée des veilleuses, Oscar caressait les barreaux de sa cage. Son faciès exprimait une profonde tristesse. Son regard morne s'anima soudain d'une étrange lueur. Son poing serré s'ouvrit lentement, laissant apparaître une noix, la dernière. Il la contempla un moment, puis, sans effort, la brisa d'un coup, réduisant en miettes la coque et son contenu.

ROME, LE 10 DÉCEMBRE

A 9 heures du matin, un biréacteur Falcon vert et blanc en provenance de Paris se posa sur une des pistes réservées aux vols privés à l'aéroport Léonard de Vinci, dans la banlieue de Rome. Dès l'ultime rugissement des moteurs, une Mercedes noire bardée d'antennes et ornée d'un petit fanion frangé d'or aux couleurs du Vatican s'engagea sur la piste en direction de l'appareil, suivie d'une Alfa Romeo Turbo. Les deux véhicules s'arrêtèrent près du Jet Falcon.

Un jeune abbé sortit prestement de la Mercedes et s'immobilisa face à la passerelle. Dans le même temps, quatre membres du service de sécurité du Vatican jaillirent de la Turbo et vinrent encadrer les cinq passagers qui descendaient de l'appareil. Cent vingt secondes après l'atterrissage, les deux voitures roulaient à vive allure vers la cité du Vatican.

Quatre des spécialistes avaient pris place à l'arrière de la Mercedes, l'Allemand Karl Weimann, le Français Louis d'Entremont, l'Espagnol Carlo Pineo et l'Anglais Benjamin Forside. Vêtus de manteaux sombres cachant un costume de flanelle grise et chaussés de Church « diplomat », ils étaient si semblables que leur propre mère les aurait à peine distingués les uns des autres. Le cinquième, Don Pfeiffer, Américain de Chicago, tranchait sur cette uniformité. Dans quelle échoppe avait-il dégoté ce costume tyrolien, ces chaussures de cuir bicolore, cette cape noire transylvanienne et ce sac mexicain bordé de perles? Tandis que les autres se taisaient – prudence, goût du secret –, Don Pfeiffer en racontait une bien bonne au jeune abbé. Aucun des quatre spécialistes n'aurait osé se moquer de l'Américain. Non seulement il pouvait tuer un bœuf d'un seul de ses poings mais il en savait plus que chacun d'eux et que tous réunis.

Don Pfeiffer était le numéro un.

Il en avait sauvé, des multinationales! Plus que les dossiers ou les bilans, l'atmosphère même de l'entreprise en péril lui livrait ses secrets. Comptable, détective et charognard, il savait mieux que personne faire le bon choix et l'imposer aux dirigeants par la séduction ou par la force.

Bientôt, les deux véhicules pénétrèrent sur les quarante-quatre hectares de l'Etat souverain du Vatican, par une entrée secrète de la piazza qui réunit la colonnade de Bernin au portique de la basilique Saint-Pierre. Les voitures s'arrêtèrent à cet endroit précis. Une porte s'ouvrit. Encadrés de leurs gardes du corps, les cinq hommes s'engouffrèrent à la queue leu leu à l'intérieur du bâtiment à la suite du jeune secrétaire de la curie.

Flanqué de son secrétaire particulier, le père

Fausto Valentini, Son Eminence les attendait dans l'impressionnante antichambre des appartements privés du Saint Père.

Le cardinal Gian-Carlo Interlinghi avait rêvé plutôt que vécu la première partie de sa vie. Né d'une famille patricienne régnant sur le Vatican depuis plus de cent ans à travers six cardinaux, un pape, des établissements financiers, des politiciens et des diplomates, Gian-Carlo avait cru pouvoir échapper à la curie. Matteo, son frère aîné, avait été choisi par le commandatore Interlinghi, le patriarche, pour accéder aux plus hautes fonctions. Il était mort à trente ans, d'un mal mystérieux. Comme par magie, son cadavre avait disparu. Les rumeurs les plus extravagantes avaient vite été étouffées par sa puissante famille.

A cette époque, Gian-Carlo avait commencé une prometteuse carrière de concertiste. Au concours de sortie du conservatoire, il partagea le premier prix de piano avec une jeune beauté, Rebecca, fille d'un artisan tailleur. Comme n'importe quel manant, il en tomba éperdument amoureux. Les Interlinghi, assez chrétiens pour tolérer l'origine modeste de la jeune fille, n'auraient pas contrarié son inclination si elle n'avait été juive. L'œcuménisme de la famille fondait mystérieusement dès qu'il s'agissait des siens. La tête sur le billot, les Capulet et les Montaigu auraient fini par s'allier, mais les Interlinghi avec les Levy, jamais!

Gian-Carlo comprit que les préceptes de l'Eglise catholique apostolique et romaine ne pouvaient être appliqués à la lettre. On pouvait avoir la foi et mentir. Ce qu'il fit, non sans en éprouver de délicieux remords. Il ignorait alors que ce premier accroc à l'éthique familiale allait devenir une règle de conduite dans la fonction que le destin lui ménageait. En ces temps idylliques, ses occupations étaient au nombre de trois : dialoguer avec le Christ, se colleter avec son Steinway et caresser Rebecca. La tragique disparition de son frère bouleversa cette paisible existence. Devenu l'aîné, il se vit appelé aux plus hautes destinées dans l'armée du Christ. Pour les Interlinghi, une seconde famille dont il était légitime qu'ils restent les garants et les chefs.

Gian-Carlo dut dissimuler sa sensibilité sous l'apparence d'un homme destiné au pouvoir. Et renoncer à Rebecca. Aidé par la famille, son parcours fut rapide et brillant. Son cursus universitaire, couronné par sa thèse de doctorat à l'université pontificale de l'Angélicum, *De la Morale catholique dans une société technologique,* attira sur lui l'attention du souverain pontife. Il n'avait que vingt-cinq ans.

Ses essais traduits dans le monde entier servirent de référence aux réformes que l'Eglise devait entreprendre, *l'Aggiornamento.* Ses affinités avec le courant réformateur de sa génération semblèrent compromettre son irrésistible ascension, mais Paul VI distingua ce jeune évêque à la dialectique quasi talmudique, se soumettant avec une grâce apparente pour mieux arriver à ses fins. Puis Gian-Carlo rencontra Michel de Certeau. Une amitié et une admiration réciproques rapprochèrent les deux hommes. Le célèbre jésuite dont le rayonnement intellectuel et spirituel éclipsait celui des princes de l'Eglise contribua puissamment à lui conférer la pourpre cardinalice en 1964. Pendant plusieurs années, il fut l'envoyé très spécial du Vatican à travers le monde. Ses missions? Admonester quelque évêque déviant ou contestataire, raviver les fois défaillantes, mais aussi secourir les églises menacées par un régime hostile. En un mot, rétablir l'équilibre, par tous les moyens, même au prix du sang versé...

Enfin le souverain pontife rappela près de Lui l'homme que l'on surnommait « le pape hors de Rome ». Gian-Carlo Interlinghi gouvernait enfin.

Tel se présentait, en ce jour maussade de janvier, le premier serviteur de l'Eglise et son Bras séculier.

Sa foi tout d'abord brûlante, romantique, s'était changée, au spectacle de la souffrance des hommes et de la misère matérielle et morale des deux tiers de l'humanité, en une relation plus réaliste avec le Seigneur. Comment être à la fois le fils du Christ et son meilleur vendeur, rester le guide de la multinationale « Eglise » en ce siècle de bouleversements constants qui obligeaient tous les marchands d'espoir à composer? Gian-Carlo voyait en Jésus le premier socialiste, hâve, décharné, suivi d'une famélique cohorte de soixante-huitards, prêchant l'amour du prochain et le partage équitable du pain. Aujourd'hui, les Monsignore chargés de transmettre son message d'amour et de modestie auraient-ils seulement accepté de recevoir ce jeune exalté? L'auraient-ils convié à admirer leurs somptueuses garde-robes, leurs soutanes de satin et de velours, leurs dessous de dentelles soyeux et froufroutants? Jésus n'aurait-il pas tapé sur la table? N'aurait-il pas exigé des comptes? N'aurait-il pas vendu à la criée les tiares constellées de diamants, les surplis brodés d'émeraudes, les limousines de ces prélats dévoyés?

Son Eminence abandonna pour un temps la colère froide, constante, qui l'habitait. Il lui fallait écouter les comptables.

Les cinq hommes entrèrent.

Le premier, Don Pfeiffer alla vers lui, effleura des lèvres l'anneau qu'il lui présentait et, sans plus de manières, tendit au prélat sa bonne pogne rougeaude. Les quatre autres, d'Entremont, Weimann, Forside et Pineo, y allèrent de leur génuflexion puis, sur un signe, rejoignirent Don Pfeiffer autour de l'immense table ovale au plateau de bois ciré. Interlinghi et son secrétaire Fausto Valentini s'assirent à leurs côtés. Le jeune secrétaire de la curie resta debout derrière le cardinal.

Occupant la totalité du mur, une vaste carte du monde leur faisait face. Devant Valentini était enclavé un terminal d'ordinateur qui lui permettait d'afficher sur la carte le nombre de fidèles, la puissance approximative du lobby qu'ils constituaient dans chaque pays, le graphique des recettes et des dépenses. Après cela, Fausto Valentini pianota, non sans quelque coquetterie, une série de petits drapeaux noirs : les ennemis, puis quelques drapeaux rouges : la concurrence. Les éléments du dernier exercice ainsi mis en place, l'audit pouvait commencer.

De leurs porte-documents, les cinq experts sortirent leur dossier et comparèrent les résultats de leur compte d'exploitation aux chiffres inscrits sur le tableau. Fausto Valentini choisit un orange fluo pour comparer ces chiffres à ceux de l'année précédente. Puis il totalisa les débits et les crédits. Les résultats étaient tout simplement catastrophiques. En douze mois seulement, tous paramètres confondus, l'érosion était de dix-sept pour cent. Elle n'avait été que de trois pour cent l'année précédente, et de deux pour cent l'année antérieure. Alors que les quatre experts de l'Europe se taisaient comme s'ils étaient responsables du marasme, Don Pfeiffer rompit le silence :

– Encore deux ans comme ça, et on se retrouve troisième derrière la scientologie et Haré Krishna!

Silence.

Gian-Carlo Interlinghi se tourna vers le colosse.

– Don Pfeiffer, que se passe-t-il?

De sa carrière d'avocat, Don Pfeiffer conservait le sens du théâtre. Il plongea la main dans sa poche, en sortit son poing fermé qu'il posa sur la table. Assuré d'avoir ainsi polarisé l'attention, il attendit quelques secondes. Il ouvrit lentement son poing, écartant ses doigts d'où s'échappa une poignée de gélules multicolores. Elles crépitèrent en une courte rafale avant de s'immobiliser sur l'immense plateau de bois ciré.

Son Eminence engagea Don Pfeiffer à s'expliquer.

L'Américain feuilleta son compte rendu et s'arrêta sur une page marquée d'un signet.

Page 11. Annexe 4. Psychotropes. « La vente des pilules augmente, la foi diminue. »

D'Entremont intervint :

– Cinq millions de Français consomment régulièrement des psychotropes, un Français sur trois en use épisodiquement, dont soixante-cinq pour cent de femmes.

Fausto inscrivit sur la mappemonde la courbe montante des psychotropes puis réunit les gélules éparpillées et les poussa devant Don Pfeiffer. Celui-ci les empoigna, en choisit quelques-unes et expliqua :

– Les champions : Valium, Librium, Tranxène, Lexomil, Témesta. Tous les dérivés de benzodiazépines. Aucune action antipsychotique ou découplante. Ce ne sont que des tranquillisants qui règlent l'anxiété omniprésente dans les pays développés.

Gian-Carlo Interlinghi s'inquiéta du chiffre d'affaires et des profits de l'industrie pharmaceutique.

– Colossal, répondit Pineo. Même si le chiffre d'affaires est moins spectaculaire que celui du commerce des armes ou de l'agro-alimentaire, les bénéfices sont énormes comme dans toutes les industries de haute technologie.

– Certains de ces médicaments ne sont-ils pas en fin de droit ou tombés dans le domaine public?

Gian-Carlo Interlinghi l'encouragea du regard.

Valentini toussota et reprit :

– Si vous me permettez une comparaison musicale... depuis cinq ans, on ne compte plus les versions de *Carmen*. Films, œuvres lyriques, ballets, etc. Pourquoi? Le sujet est tombé dans le domaine public.

Don Pfeiffer acquiesça du chef.

– Bravo, Fausto! N'importe quel labo peut les fabriquer sans avoir à cracher un rond pour payer la recherche.

Forside intervint :

– Les géants de l'industrie pharmaceutique dépensent parfois un milliard de dollars et quinze ans de recherche avant d'obtenir l'autorisation de commercialiser une nouvelle molécule.

Son Eminence s'étonna :

– Et ils se laissent dépouiller?

Don Pfeiffer le rassura :

– Après vingt ans de propriété absolue... Avec d'énormes profits...

– Sauf en France, dit d'Entremont. Le pays est le cinquième découvreur du monde mais le onzième pour la vente de brevets et le dix-septième pour les bénéfices. Parfois le premier sur les pertes : les prix sont bloqués depuis vingt ans.

Il ajouta en souriant :

– Les médicaments sont cinq fois moins chers qu'aux Etats-Unis, alors on est les premiers en consommation.

Son Eminence sembla entrer en méditation. La bouche de Karl Weimann, l'Allemand, se tordit en un rictus. D'une timidité maladive, il n'avait pas tenté la moindre question depuis sa plus tendre enfance. Si on l'interrogeait, il fournissait la réponse. Mais à ce moment précis, il fallait se jeter à l'eau.

– Aux Etats-Unis, comme en Allemagne, une nette diminution de la consommation s'est amorcée depuis plusieurs années.

Valentini ajouta :

– Les ouailles n'ont pas pour autant repris le chemin de l'église.

Karl Weimann enchaîna d'une voix plus assurée :

– En effet... Les hommes sont à la recherche d'autres secours pour atténuer leur souffrance.

– De quelle nature? demanda le cardinal.

Karl Weimann connaissait évidemment la réponse :

– De meilleurs médicaments.

Son débit se fit plus précipité :

– Ma femme est une droguée... Pas à la cocaïne ou à l'héroïne, mais au Valium. Sa cure de désintoxication dure depuis plus d'un an. Elle en était à six injections par jour. Sans en arriver là, la dépendance devient souvent intolérable. Les anxiolytiques ratissent large. Les effets secondaires peuvent être dramatiques, parfois irréversibles. Imaginez-vous une armée de tueurs encerclant un seul malfaiteur. Bien sûr, leur puissance de feu détruira le criminel, mais aussi la maison dans laquelle il se cache, et le quartier où se trouve la maison. La consommation diminue peut-être, mais si les recherches en cours aboutissent, les consommateurs n'auront plus rien à craindre. Chaque pilule sera le bon missile et détruira le bon objectif.

– Nous perdrons encore une bataille? demanda le cardinal.

L'Allemand répondit tristement :

– Je le crains, Monseigneur.

Benjamin Forside prit la parole :

– Karl, vous êtes trop impliqué pour faire la part des choses. Les abus qui nécessitent une désintoxication, qui conduisent à la dépression ou au suicide sont tout de même rares. La plupart du temps, les effets secondaires sont relativement bénins. Qu'il s'agisse d'état fébrile, de perte de mémoire, d'irritabilité, d'érosion de la volonté, l'apaisement de la souffrance contrebalance largement ces petites nuisances.

Karl Weimann s'emporta :

– Petites nuisances! Vous êtes d'un cynisme!

Le rire iconoclaste de Don Pfeiffer électrisa l'atmosphère. Il jubilait au spectacle de ces deux pisse-froid métamorphosés en coqs de combat. Un soupçon d'agacement vint altérer le regard jusqu'alors serein du cardinal. Cela suffit pour calmer les passions. Il invita Don Pfeiffer à poursuivre.

– Monseigneur, ça fait un bail que vous n'avez pas mis le nez dehors. Dans les missions africaines, je vous ai connu la soutane retroussée, la pelle à la main, apprenant à ces pauvres bougres comment cultiver les nourritures terrestres. Dans les pays riches, on se fait une p'tite prière avant de s'en mettre plein la panse. Là-bas, il est difficile de remercier le Seigneur de vous laisser le ventre vide.

– Où voulez-vous en venir?

– Au Chili, en Ethiopie, au Vietnam, vous partagiez la réalité des hommes. Vous continuez à penser en termes de nations, de collectivités de corporations. Vous n'avez plus la bonne marchandise pour votre clientèle. De quoi souffrent-elles, ces malheureuses créatures, laminées, privées du moindre espoir de dignité humaine, conformisées, réduites à travailler pour survivre, quel que soit le régime qui les gouverne? Quelles sont les nouvelles plaies d'Egypte? Elles sont au nombre de trois : la douleur morale, la douleur physique, la peur de vieillir et de mourir. Quand on souffre, ce n'est plus vers le prêtre qu'on se tourne, mais vers le médecin. Finis les affinités électives, le civisme, le patriotisme, le corporatisme, la famille – sociale, politique ou sexuelle –, finie la cellule familiale! Quel est le nouvel art de vivre? Quelles sont les nouvelles familles?

A la fois histrion et prophète, il tenait son auditoire bien en main. Ses doigts rougeauds saisirent une petite gélule verte, la conduisirent lentement à la bouche de Fausto Valentini. Comme une hostie... Sa voix tonna :

– Les voilà, les nouvelles familles! La famille Valium, la famille Urbanyl, la famille Témesta. Voilà la grande famille des analgésiques pour la douleur physique! La grande famille des anxiolytiques pour la douleur morale! Et pour finir, dit-il en se levant, majestueux, solennel, la grande famille des vasodilatateurs cérébraux pour ne pas vieillir et pour reculer l'échéance fatale.

Fausto Valentini fit rouler quelques gélules dans la paume de sa main et murmura :

– Voici donc le nouveau visage du diable.

D'une voix nette, Gian-Carlo Interlinghi intervint :

– Merci, Don Pfeiffer, de votre brillante péroraison. Mais le tableau n'est pas aussi noir que vous le dépeignez, entraîné par votre verve. Cependant le danger est bien présent, l'ennemi bien installé. Nous allons nous battre!

– Dépêchez-vous, répondit l'Américain, car l'ennemi revêtira bientôt un bien aimable visage.

D'une poche de sa cape, il sortit une petite boîte blanche qu'il fit glisser vers le prélat.

– Cette nouvelle molécule entre actuellement dans le dernier cycle de son expérimentation : sur les êtres humains. Elle pourra être prescrite à tous sans risque. Pas de dépendance. Aucun effet secondaire. Sa fonction? Nous rendre parfaitement heureux de notre sort, quel qu'il soit.

Il leva ses deux mains comme pour bénir et sourit au prélat.

– Le paradis... L'homme n'aura plus peur de l'homme. Sans aucun asservissement, il se montrera pacifique, tolérant, et il aimera son prochain.

Gian-Carlo Interlinghi esquissa un sourire.

– La pilule du bonheur, je la connais. C'est la foi.

Don Pfeiffer sourit à son tour. Ce duel à fleurets mouchetés lui convenait parfaitement.

– Votre « Foi » sera vendue par boîtes de vingt. Dans un an peut-être... Deux géants, le groupe anglais Bristol et l'américain Morgan Chemical Co.

se sont battus comme des chiffonniers pour s'approprier la moitié du pactole.

– Et l'autre moitié?

– Pour l'Institut Pasteur et la jeune chercheuse qui a isolé la molécule. Un fameux numéro celle-là!

– L'Institut Pasteur aurait pu garder le tout?

D'Entremont intervint :

– Pas assez d'argent. La jeune chimiste y travaille depuis trois ans. Le temps d'isoler la molécule, de l'identifier, de l'expérimenter sur des animaux. Avec succès. Le brevet a été déposé il y a un peu plus d'un an. Il sera validé l'année prochaine. Cette « mise au secret » le protège contre l'espionnage industriel.

– L'Institut Pasteur? demanda Valentini qui intégrait toutes les données dans son ordinateur.

– Oui, poursuivit d'Entremont. Mais ce n'est là qu'une reconnaissance de paternité, une protection légale obligée. On est encore loin de la commercialisation. En France, la dernière étape reste la plus paradoxale : l'expérimentation sur l'homme. La législation la tolère à peine, mais elle est obligatoire pour obtenir l'autorisation de mise sur le marché.

– Alors, comment font-ils? s'étonna Interlinghi.

– Les Français se débrouillent assez bien avec ce genre de contradictions. Trois ans et beaucoup d'argent étaient nécessaires pour l'expérimentation sur l'homme. L'Institut Pasteur, en fin de crédits, a décidé d'interrompre le programme. La chercheuse n'a pas apprécié cette décision.

– Que pouvait-elle faire? demanda le cardinal.

– Elle a fait valoir ses droits de découvreur d'une nouvelle molécule dans le cadre contractuel qui la liait à l'Institut Pasteur. Elle a obtenu gain de cause.

Le cardinal Interlinghi abandonna un instant son apparente impassibilité :

– Comment s'appelle cette jeune chercheuse?

– Mademoiselle Clara Zellmeyer, le docteur Zellmeyer, Monseigneur.

– Que s'est-il passé ensuite?

– L'Institut a cherché un partenaire plus solide, avec l'accord du docteur Zellmeyer évidemment.

– Et il a trouvé?

– Oui, enchaîna Don Pfeiffer. La Morgan Chemical a emporté le morceau. Des milliards de dollars sont en jeu. La Morgan fournira à la chercheuse autant de sujets humains volontaires qu'il le faudra. La législation américaine le permet. En moins d'un an, ce laboratoire, appuyé par l'opinion publique, pourra obtenir l'autorisation de mise sur le marché. En France, il aurait fallu au moins cinq ans.

– Il est bon de préciser que nous sommes en pleine actualité, Monseigneur, ajouta d'Entremont. Cette personne quitte Paris pour New York de façon imminente.

Le cardinal tendit la main en direction de Don Pfeiffer.

– Donne-la-moi.

L'Américain lui donna la petite boîte de carton blanc marquée d'un B.

– Elle est vide, Monseigneur.

Le cardinal la prit, la fit tourner entre ses doigts en la contemplant rêveusement.

– B. Qu'est-ce que ça veut dire?

– Substance B, Monseigneur. B comme bonheur.

– Bonheur..., répéta le prélat. La Providence ne pourrait-elle nous ménager quelque rémission, quelque accident de parcours?

– C'est peu probable, le produit semble fiable. Par ailleurs la Morgan doit aller vite. Les produits leaders qui ont fait sa fortune arrivent en fin de droit.

Gian-Carlo Interlinghi se leva. Fausto Valentini et les experts l'imitèrent tandis que Son Eminence s'apprêtait à quitter l'antichambre. Il leur fallait maintenant parler chiffres, interpréter les bilans, prendre des décisions de routine.

Deux valets en livrée entrèrent, poussant un somptueux chariot d'argent. Sur ses trois plateaux reposait un succulent dîner. Et quelques vins revigorants. Le jeune secrétaire de la curie, resté derrière le cardinal dans un impeccable garde-à-vous durant toute la réunion, s'anima soudain, mû par un invisible signal. Il ouvrit la porte monumentale et s'immobilisa à nouveau près de l'un des vantaux.

Don Pfeiffer se débarrassa de son ample cape noire. D'un geste sec, il en arracha la capuche, la retourna et en déchira la doublure. Une épaisse enveloppe de papier kraft s'en échappa, qu'il rattrapa avec grâce. Le visage de Forside exprimait une franche réprobation devant ce numéro de cirque. Carlo Pineo éclata de rire. Il considérait l'existence comme une interminable pièce de théâtre où la farce et le drame se chevauchent anarchiquement. Don Pfeiffer en constituait de toute évidence la réjouissante illustration. Le Saint Père lui-même assurait avoir été, adolescent, un acteur fort acceptable. Solennellement, Don Pfeiffer remit l'enveloppe au cardinal. Gian-Carlo Interlinghi le remercia, félicita les experts et se dirigea vers la porte. Il s'arrêta soudain, se retourna et revint vers Don Pfeiffer. Il le regarda longuement, semblant sonder son âme. Puis il posa sa main sur l'épaule du colosse, comme on adoube un chevalier. Il lui parla à voix basse :

– Que le Seigneur nous accorde des mécréants tels que vous, Don Pfeiffer. Nous en avons besoin.

Cette longue réunion semblait avoir épuisé le prélat. Les mains croisées sur la poitrine comme pour se protéger, il marcha vers la porte d'un pas incertain.

Dans la modeste cellule qu'il s'était attribuée, le cardinal se laissa choir lentement sur une étroite banquette de bois noir puis il déchira l'enveloppe de papier kraft. Il en sortit trois enveloppes cachetées de cire et portant, imprimée en larges caractères, la mention « CONFIDENTIEL ». Il les ouvrit. Chacune d'elles ne contenait qu'un seul feuillet. Et sur chacun de ces feuillets figuraient des renseignements que peu de polices au monde auraient pu réunir.

Le premier document concernait l'INSTITUT PASTEUR.

Le deuxième, la MORGAN CHEMICAL COMPANY.

Le troisième et dernier, CLARA ZELLMEYER.

Le cardinal replia les feuillets. Il s'agenouilla devant le grand crucifix d'ébène sculpté, seule richesse dans son réduit ascétique.

– Donne-moi la force...

Le temps s'arrêta. Gian-Carlo pria pour son frère Matteo, poignardé par un prostitué dans une sordide chambre d'hôtel, tout comme Pier Paolo Pasolini, autre archange déchu. Il pria pour ceux qui pardonnaient et pour ceux qui ne toléraient pas les différences. Il pria enfin pour une jeune femme qu'il n'avait jamais vue, qui aurait pu être sa fille si le Seigneur lui avait accordé un autre destin.

– Mon Dieu, pardonnez-lui. Elle ne sait pas ce qu'elle fait.

Il consulta sa montre et hocha la tête. Le moment était venu de gagner les appartements du souverain pontife, pour leur entrevue quotidienne. Stupéfait, il constata que la boîte blanche frappée d'un B reposait toujours dans sa paume. Il regarda intensément ce petit quadrilatère de carton, vide de toute substance et pourtant redoutable.

Insensiblement, sa main commença à se replier. Ses longs doigts se refermèrent sur la boîte pour la réduire en une petite boule de carton froissé.

PARIS, LE 11 DÉCEMBRE

« Ils vous contacteront, avait dit Joliot. Faites-leur confiance. Bauer, le président de la Morgan Chemical, sait tout de vous. »

Clara escalada prestement l'escalier de bois de son appartement conduisant à la mezzanine où elle dormait. Une photo encadrée, posée sur un coin de l'estrade, la représentait en maillot de bain, radieuse, enlacée à un homme, Gilles Lambert, tout aussi bronzé qu'elle sur un fond de mer idyllique. Clara fut interrompue dans ses pensées par la sonnerie de l'interphone. « Je n'attends personne! »

Puis son cœur se mit à battre. Et si justement c'était Gilles? Tenterait-il l'impossible pour la retenir? Et s'il avait raison?

En un bond, elle fut près de l'appareil. Une voix teintée d'un fort accent demanda :

– Docteur Zellmeyer? Je représente la compagnie Morgan Chemical. Puis-je monter?

A peine revenue de sa surprise, Clara ouvrit la porte à un homme de haute taille, élégant et d'allure sportive. Dans son visage anguleux, ses yeux pétillaient de malice. Jeune, la quarantaine tout au plus, et sûr de lui. Clara le trouva aussitôt sympathique.

– Vous êtes le docteur Zellmeyer? s'étonna-t-il.

– Non, répondit Clara avec bonne humeur, sa femme de chambre. Le docteur Zellmeyer est en haut, dans sa chaise roulante.

Elle rit.

– Vous ne perdez pas de temps!

– C'est contagieux, vous verrez.

Il rit à son tour.

– Je suis John Conrad, directeur du développement à la Morgan Chemical.

Elle le pria d'entrer.

– Franck Bauer m'a chargé de vous accompagner aux Etats-Unis.
– Quand partons-nous?
– Tout de suite ou dans dix minutes. Le patron a hâte de vous voir.
Abasourdie, Clara laissa tomber le cadre qu'elle tenait encore entre ses doigts. Le verre se brisa sur le parquet de l'entrée. Conrad se baissa aussitôt pour ramasser les morceaux.
– Non, laissez! dit Clara. Vous ne parlez pas sérieusement! Je n'ai même pas de visa.
– Ce n'est pas un problème, répondit Conrad, toujours accroupi.
– Mais il n'y a plus de vol à cette heure-ci!
– J'ai sauté dans le Jet de la compagnie dès qu'Antoine Joliot nous a informés de votre accord.
Clara allait de surprise en stupéfaction.
– Mais notre réunion s'est déroulée hier!
– Je sais. Bauer m'a tiré de mon lit à 4 heures du matin et j'ai atterri au Bourget il y a moins de deux heures. Inutile de faire votre valise. La Morgan vous ouvre un crédit illimité. Vous pourrez renouveler votre garde-robe.
– Et mon appartement? Je n'ai prévenu personne.
Le directeur du développement de la Morgan parvenait mal à cacher son amusement.
– Tout est arrangé, dit-il. Vous préviendrez les vôtres de New York. Quant à... votre ami.
Conrad avait ramassé la photo sur le sol et jouait avec sans la regarder. Il sembla soudain perplexe.
– On l'emmène ou on le laisse?
Il consulta sa montre.
– Avec un peu de chance, nous pouvons être à New York pour le dîner.
Clara prit soudain conscience de ce qui lui arrivait. Elle se trouvait simplement au centre d'un cyclone. Il fallait se décider.

– D'accord, dit-elle. Laissez-moi juste réunir ma trousse à maquillage. Je n'ai aucune confiance dans les cosmétiques américains!

Une Rolls Corniche les attendait au bas de l'immeuble et les conduisit au Bourget. Quarante-cinq minutes à peine après l'intrusion de John Conrad dans son appartement, Clara se retrouva sur la passerelle d'un Falcon 50 arborant le sigle de la Morgan Chemical. Les turbines tournaient déjà. Plusieurs employés de l'aéroport s'affairaient autour de l'appareil.

Une hôtesse souriante aida Clara à franchir la dernière marche. Elle portait un badge marqué de son prénom : Mélanie. Clara n'avait même pas eu à passer à la douane. Elle pénétra dans la cabine.

A la place des dix ou quinze sièges habituels, l'intérieur de l'appareil était meublé d'une demi-douzaine de fauteuils pullman, entourant une table de conférence amovible. Contre la paroi étaient encastrés un terminal d'ordinateur, un interphone relié au poste de pilotage et un téléphone. Un coin secrétariat comportait un mini-bureau et deux télex. L'arrière de la cabine était aménagé en cuisine. Le sol, comme les parois, tapissé de moquette épaisse et feutrée. Quelques haut-parleurs savamment dissimulés diffusaient de la musique classique.

Clara découvrit aussi un écran de télévision relié à un système vidéo. L'hôtesse lui expliqua qu'il serait aisé de rabattre un lit autour duquel pouvaient être tirés des rideaux si elle désirait se reposer durant le vol.

– Et cette porte conduit bien sûr à la piscine, plaisanta Clara.

Elle prit place dans l'un des fauteuils. John Conrad s'assit près d'elle.

– Décollage dans trois minutes, annonça le commandant à travers les haut-parleurs. Bienvenue à bord, docteur Zellmeyer.

La passerelle s'éloigna. L'hôtesse verrouilla la porte de l'appareil et s'assit à son tour, bouclant sa ceinture.

– A quoi vous servent tous ces appareils en plein vol? interrogea Clara.

– Le téléphone fonctionne jusqu'à cent kilomètres des côtes, répondit Conrad. Le terminal d'ordinateur, de même que les télex, est relié au siège de la Morgan. Lors de ses déplacements, Bauer peut s'informer en permanence des chiffres de vente de nos produits et des dernières cotations à Wall Street.

Le Falcon gagna la piste d'envol puis décolla.

– Votre ordinateur, là, on peut vraiment s'en servir?

– Bien sûr, docteur. Tant que vous voulez. Dès que nous aurons atteint notre altitude de croisière, je vous ferai une démonstration.

Quelques minutes plus tard, à dix mille mètres d'altitude, Conrad mit l'ordinateur en marche.

« Logiciel serveur, Morgan Chemical. Entrez code d'accès », annonça l'écran.

Conrad pianota quelques chiffres.

– Que désirez-vous savoir? La répartition de la vente des médicaments dans le monde l'année passée?

Sans attendre sa réponse, il inscrivit la demande de renseignements. Plusieurs lignes lumineuses s'affichèrent aussitôt.

« Thérapeutiques cardio-vasculaires : 34,3 % – Digestives : 14,5 % – Antibiotiques : 13,2 % – Hypnotiques et psychotropes : 12,5 %... »

Il changea de chapitre.

– Les groupes pharmaceutiques les plus importants dans le monde, proposa-t-il.

« Merck Sharp and Dowe, 4 milliards de dollars de chiffre d'affaires. Morgan Chemical, 3 milliards 200 millions de dollars. Pfizer, 3 milliards de dollars.

Hoffman La Roche, 1 milliard de dollars. Warner Lambert, 877 millions de dollars. »

– Je peux? demanda Clara.

Conrad lui abandonna sa place.

Elle inscrivit son nom sur le terminal. Aussitôt apparut son impressionnant curriculum vitae.

– Lisez la suite, suggéra Conrad d'une voix douce.

Elle lut. Et sentit son cœur s'emballer dans sa poitrine.

– Trois cent mille dollars d'appointements annuels avec le titre de directrice des recherches! s'exclama-t-elle. Joliot ne m'a jamais parlé d'un tel salaire!

– Je vous trouve d'un bon rapport qualité-prix.

Elle le fixa. Conrad lut dans ses yeux la question qu'elle s'apprêtait à poser.

– Bauer semble vous considérer comme une sorte d'Einstein de la pharmacologie, lança-t-il. Je ne vous connais pas assez pour en juger, mais il n'investit jamais le moindre dollar sans être sûr de multiplier sa mise.

Clara se remettait de son émotion. L'hôtesse annonça le dîner et habilla la table d'une nappe brodée. Cristal, porcelaine et argenterie complétèrent ces préparatifs.

La collation fut servie : caviar Beluga sur blinis savoureux, saumon mariné à l'aneth, salade de langoustines.

– Mélanie n'a pas eu le temps de prévoir un vrai repas, s'excusa Conrad.

Il ouvrit la bouteille de Comte de Champagne, emplit les deux coupes et leva la sienne vers Clara.

– A notre premier dîner en tête-à-tête, sourit-il. Et surtout, à la Substance B! Au fait, en avez-vous déjà pris?

Désignant sa coupe, Clara répondit en souriant :

– Est-ce que j'ai l'air d'en avoir besoin?

Par le hublot, elle vit disparaître la côte française, piquetée de faibles lueurs.

Elle ferma les yeux, essayant d'imaginer son futur immédiat. Mais quoi de plus délicieux que de ne pas savoir et d'espérer.

NEW YORK, LE 11 DÉCEMBRE

Clara Zellmeyer atterrit à l'aéroport de La Guardia à 21 heures. Un officier de l'immigration l'attendait au bas de la passerelle. Il salua Conrad brièvement puis leur fit traverser le bâtiment administratif par le couloir réservé aux équipages. Il les abandonna de l'autre côté du poste frontière, après avoir rempli en leur nom les formalités d'usage.

Cinq minutes plus tard, la Cadillac de la Morgan les déposait devant un petit terminal à l'écart des compagnies régulières, entre l'imposant building de la Pan Am et celui de la T.W.A. Un employé empressé s'empara de son sac de voyage. John Conrad prit le bras de Clara et l'entraîna sans un mot à travers le hall. Ils passèrent une double porte et se retrouvèrent sur une vaste aire d'atterrissage. Un hélicoptère Bell Jet Ranger portant l'inscription « Morgan Chemical » les attendait, turbines sifflantes. Le pilote leur fit un signe amical de la main.

– Montez, cria Conrad pour couvrir le bruit des rotors. Nous sommes en retard. Bauer nous attend!

L'hélicoptère survolait maintenant Brooklyn à moins de trois cents mètres d'altitude. Droit devant se dressaient les tours de Manhattan. Une multitude de véhicules s'agglutinait au péage de Brooklyn Bridge, passerelle obligatoire pour rejoindre le cœur de la cité. Le sol était quadrillé de tranchées rectilignes illuminées.

Bercée par le bruit des rotors, enveloppée dans une confortable couverture, le regard fixé sur le paysage magique de cette mégalopole, Clara se sentit gagnée par une douce euphorie.

– C'est votre premier voyage à New York? demanda John Conrad.

Elle hocha la tête. John se pencha sur le pilote.

– Longe l'East River et remonte par l'Hudson, s'il te plaît, Norman.

Puis à Clara :

– Que vous voyiez au moins la statue de la Liberté.

Le Jet Ranger bascula et les tours parurent se pencher dans un ensemble parfait. Il piqua vers Brooklyn Bridge éclairé comme en plein jour. Sous le pont, un petit chalutier traçait un sillon d'écume. Clara s'agrippa à son siège. Oiseau docile, l'hélicoptère plongea sous le pont suspendu et poursuivit son chemin presque à fleur d'eau. Quelques instants plus tard, ils contournaient la Statue.

– Nous allons remonter l'Hudson en longeant le port, cria John. Ensuite nous bifurquerons. Le laboratoire principal se trouve à Hoboken, à la lisière d'Union City dans le New Jersey. Mais ne vous y trompez pas. Le New Jersey est encore plus proche de Manhattan que Brooklyn ou le Queens. Enfin nous atterrirons sur le toit du siège de la Morgan Chemical, non loin du Rockefeller Center.

– Combien avez-vous d'hélicoptères? interrogea Clara.

– Quatre. Celui-ci appartient personnellement à Franck Bauer.

En sept heures, Clara s'était faite à la puissance et à la démesure de la Morgan Chemical. Elle évaluait à présent les profits que l'Institut et Joliot allaient tirer de cette association. Si on lui offrait trois cent mille dollars par an pour poursuivre ses recherches, les sommes revenant à l'Institut devaient être colossales.

Clara désirait quelques informations sur l'entreprise et l'homme qui la dirigeait.

– Pouvez-vous me parler de Bauer?

John se pencha vers elle, comme pour lui faire une confidence.

– Vous avez entendu parler des grizzlis? Ils vous arrachent la moitié du visage d'un seul coup de patte pour le petit déjeuner.

Clara rit.

– Vous dites ça pour me réconforter!

– Ne vous en faites pas. J'ai déjà vu des grizzlis jouer à la balle pour un pot de miel...

Franck Bauer ne ressemblait pas à un grizzli. Encore moins à un homme capable de se nourrir de viande crue.

Clara ne fut pas reçue dans son bureau, mais dans son penthouse situé au dernier étage du siège social de la Morgan. L'immeuble ultra-moderne aux parois de verre fumé se dressait en plein cœur de Manhattan à la hauteur de la 52e Rue, près du Rockefeller Center, en plein cœur du monde des affaires. Un ascenseur privé l'y avait conduite dès l'atterrissage de l'hélicoptère. L'appartement était à l'image de tout ce qu'elle venait de vivre : démesuré.

Une baie vitrée occupant toute une paroi s'ouvrait sur un jardin-terrasse et une piscine. Quarante-deux étages plus bas s'écoulait lentement la circulation de la 6e Avenue. L'ameublement était d'un goût raffiné. Sur le sol en marbre de Carrare étaient jetés plusieurs tapis de Smyrne aux dimensions invraisemblables. Les murs en boiserie étaient surchargés de tableaux de maîtres.

Armé d'un tisonnier et d'un soufflet, Bauer attisait

les braises. Une odeur familière montait de la cheminée monumentale, digne d'un château Renaissance. Le président de la Morgan Chemical se grillait un hamburger. Il se redressa dès qu'il aperçut la jeune femme accompagnée de Conrad. Son visage s'éclaira aussitôt. L'allure imposante, les tempes grisonnantes, vêtu d'un costume de flanelle gris sombre admirablement coupé, Bauer pouvait difficilement passer pour un assistant. Il était un patron. LE patron. Clara ressentit presque physiquement l'énergie qui émanait de cet homme. Il s'approcha d'elle et tendit les bras comme s'il allait la serrer contre son cœur. Mais Bauer se contenta de poser la main sur son épaule et de l'entraîner vers le canapé.

– Vous voilà enfin dans notre grande famille, chère Clara! Vous permettez que je vous appelle Clara. Moi, c'est Franck.

Clara lui sourit, mise en confiance par cet accueil sans façon. Elle répondit :

– Et quel est notre lien de parenté..., Franck?

Le rire du président de la Morgan explosa dans le salon.

Clara prit place dans un large fauteuil de cuir fauve. Bauer et John s'installèrent dans le canapé, face à elle.

– John est chargé de veiller à votre installation, dit Bauer. Il vous conduira tout à l'heure à votre appartement, au quarantième étage.

– Je dois habiter dans cet immeuble? s'étonna Clara. Je croyais que votre laboratoire était situé à Hoboken.

– Vous vous y rendrez chaque matin soit par hélicoptère soit en limousine. Un chauffeur est à votre disposition.

Bauer tendit la main vers un meuble bas et appuya sur un bouton. Le meuble s'ouvrit, tel un coffre au trésor, et dévoila son contenu de verres étincelants, de carafes de cristal et de bouteilles ambrées.

– Whisky?
– Non, merci. Je préférerais un coca.
– Vous avez raison. Avec le décalage horaire, un scotch vous achèverait. John?
– Whisky, merci.
Ils sacrifièrent tous les trois au rituel puis Bauer reprit :
– Cette première entrevue est destinée à nouer entre nous des relations amicales. Demain matin, à l'heure de votre choix, John vous familiarisera avec la maison.
Le téléphone sonna. Bauer saisit un objet minuscule doté d'une antenne ressemblant à un micro mobile de la NASA. Il le porta contre son oreille.
– Oui, répondit-il d'un ton sec. Elle est arrivée.
Il reposa l'appareil sans la moindre formule de politesse. Puis il consulta sa montre.
– Nous en avons terminé, décida-t-il. Clara doit être fatiguée, John.
Clara eut un geste de protestation. Malgré le ton sans réplique de Bauer, elle souhaitait poser des questions et obtenir des réponses.
– Avant de vous quitter, tenta-t-elle, puis-je vous demander...?
– Quelles que soient vos questions, je suis sûr qu'elles pourront attendre demain.
Conscient que cinq mille kilomètres méritaient tout de même un complément d'information, Bauer afficha un léger sourire.
– Je vais vous donner les moyens d'achever vos recherches, Clara. Des moyens à la mesure de la Morgan Chemical! Voilà la seule réponse importante.
Une odeur de brûlé s'échappait de la cheminée. Le hamburger posé sur le grill n'était plus qu'un morceau de charbon.
– Bonne nuit, docteur Zellmeyer, dit Franck Bauer.

NEW YORK, LE 13 DÉCEMBRE

Clara se réveilla à l'aube. Elle s'étira, regarda autour d'elle, et eut du mal à se convaincre qu'elle ne rêvait pas.

La veille, John l'avait conduite dans cet appartement. Son appartement pendant la durée de son contrat avec la Morgan, avec vue imprenable sur le cœur de Manhattan. Elle disposait d'un living dans lequel aurait tenu son studio parisien, d'une cuisine à l'américaine séparée du salon par un bar, de trois chambres à coucher et d'un grand dressing-room. Elle regrettait simplement de ne pouvoir ouvrir les fenêtres, à cause de l'air conditionné. Le mobilier lui convenait. Sofa de cuir, table laquée, lits aux montants de cuivre. Un petit mot agrafé à un catalogue posé sur la table de nuit l'informait qu'elle pouvait tout changer sur un simple coup de téléphone. Le plus impressionnant était sans doute l'ensemble stéréo-laser, téléprojecteur, magnétoscope mis en place dans le salon. Elle disposait en outre d'un micro-ordinateur Apple III et de plusieurs téléphones sans fil.

Conrad semblait rassuré de la voir satisfaite.

– Satisfaite? Vous plaisantez! Il y a de quoi loger dix familles de boat-people.

Conrad n'apprécia pas.

Lorsqu'elle fut seule, elle visita à nouveau l'appartement. Qui pourrait habiter les deux chambres vides? « J'aurai dû emmener Oscar. » Le téléphone posé sur la table du salon lui avait dicté une pulsion soudaine. Elle allait téléphoner à Gilles Lambert. Elle avait composé le numéro de l'hôpital de Bobigny puis s'était ravisée. Ça n'était pas une bonne idée. « Il te manque à ce point? Ou bien ce grand lit te fait-il peur? » Gardant le combiné à la main, elle raccrocha du doigt et attendit que la ligne revienne. L'écouteur résonna d'un écho lointain, puis elle entendit un déclic et enfin, la tonalité.

Quelque part dans le sous-sol du building, un système électronique déclencha le mécanisme d'un micro-enregistreur. Il s'arrêta lorsque Clara reposa le téléphone, prêt à faire de nouveau tourner la bande à la prochaine communication.

Elle s'était endormie à onze heures, 5 heures du matin à l'horloge de son organisme.

Elle rêva.

Ce ne fut pas un rêve ordinaire. Il s'agissait du destin de trois femmes sur près d'un demi-siècle et dont elle connaissait tout.

La première s'appelait Gerty Theresa Cori et fut récompensée en 1947.

La deuxième, Rosalyn Yalow, fut récompensée en 1977.

La récompense de la troisième, Barbara Mac Clintock, était la plus récente : 1983.

Pas une n'était Française. Toutes les trois avaient reçu le prix Nobel.

Tard dans la matinée, John Conrad lui apporta des croissants frais. Il les prétendait de nationalité française. Ils additionnaient leur goût médiocre à celui du café américain.

Conrad lui expliqua les mille petites procédures de la vie quotidienne. La serrure électronique l'amusa. Elle plaça sa main devant la cellule photo-électrique, les doigts légèrement écartés. Puis, glissant une carte métallique dans une fente, elle apprit à composer le bon code pour le petit clavier.

– Voilà, avait conclu Conrad, il vous suffira de présenter votre main sur cette plaque pour entrer et sortir de chez vous. Vos empreintes sont enregistrées. Impossible de perdre votre clef.

Il l'entraîna ensuite vers les bureaux de la Morgan...

Clara jeta un regard circulaire sur la salle de conférence assez grande pour contenir une assemblée sur le tiers monde. Les chaises étaient alignées sur une vingtaine de rangées. Elle se tourna vers John, étonnée.

Franck Bauer fit irruption à cet instant, accompagné d'un homme au crâne dégarni, à la démarche nerveuse et aux lèvres pincées. Les pas des deux hommes résonnèrent sur le dallage et se répercutèrent en un lointain écho dans l'immense local.

– Jimmy Collins est neurologue de formation, annonça le président de la Morgan sans préambule. Il s'occupe des relations avec la Food and Drug Administration et assure la liaison entre mes services et les différents bureaux de recherche. Vous vous adresserez à lui si vous ne pouvez pas me joindre.

Clara chercha en vain son regard. Elle s'amusa à formuler un diagnostic rapide avec la plus grande mauvaise foi : « Faux derche ou trouble de la vue? »

– Prêts? demanda Bauer.

– Oui, répondit John Conrad.

Clara chercha les autres membres de l'équipe.

– Où sont les autres?

Bauer s'assit près d'elle sans répondre. Il actionna le bouton d'une commande encastrée dans la table de conférence. Le panneau lambrissé décorant le mur qui leur faisait face coulissa, dévoilant une batterie d'écrans vidéo. Les téléviseurs s'éclairèrent sur cinq visages. Tous regardaient dans la direction de Clara, comme s'ils pouvaient la voir.

– Nous sommes reliés en direct avec Hoboken, expliqua Bauer. Mademoiselle Zellmeyer, voici votre équipe. Vous pouvez leur parler. Ils vous voient aussi clairement que vous les voyez.

Clara ouvrit la bouche, mais John Conrad posa sa main sur la sienne et lui fit signe d'attendre.

– Tim Patterson, annonça Bauer en désignant le premier écran.

– Bonjour, mademoiselle Zellmeyer.

– Tim est affecté à l'étude animalière. Il travaille pour nous depuis onze ans. Je ne me trompe pas, Tim?

– C'est exact, monsieur Bauer. Onze ans à la Morgan Chemical après en avoir passé dix-sept chez American Home Product. Et dans quatre ans, la retraite!

– Je suis sûr que vous serez le premier à regretter d'avoir fait votre temps, répondit Bauer d'un ton paternaliste. La Morgan Chemical aura du mal à retrouver un pharmocologue de votre compétence.

Il enchaîna :

– Alan Bowel est biologiste également. Mais il est infidèle. Il vient de se joindre aux cracks du génie génétique, au top. Au point de publier régulièrement dans le bulletin scientifique de Stanford. Son dernier voyage : les macromolécules codées. Ce qui dépasse mon degré de compétence scientifique.

Alan Bowel apprécia de la tête.

– Myriam Herman, biochimiste, docteur en pharmacie et docteur en médecine, poursuivit Bauer en désignant la jeune femme du troisième écran.

Brune, les cheveux soigneusement tirés en arrière, elle avait un visage fatigué qui exprimait une tension extrême. Sans voir ses mains, Clara devina aux mouvements de ses épaules qu'elle devait être en train de jouer avec un objet sur son bureau masqué par le cadre de l'image.

– Bienvenue à New York, souffla la jeune biochimiste sans lever son regard.

– Kimberle Adams est notre médecin généraliste, l'informa Bauer, passant à l'écran suivant. Elle possède un M.B.A. du M.I.T. et a souvent tiré la sonnette d'alarme quand nous lancions de nouveaux médicaments. Méritoire de jouer les Cassandre dans l'enthousiasme général.

Kimberle Adams était peut-être épatante mais Clara commençait à être singulièrement agacée par cette présentation cathodique.

– Enfin, Meryl Milligan, votre assistante personnelle, professeur en pharmacologie et neuropsychiatre. Elle vous rendra de grands services dans vos relations avec les volontaires.

– Ravie de travailler avec vous, dit gentiment la jeune femme un peu boulotte dont l'image occupait le dernier écran.

– Voilà, conclut Bauer. Je vous laisse la parole maintenant.

Blême de colère, Clara se leva de sa chaise.

– Désolée, monsieur Bauer, parvint-elle à articuler. Je n'ai rien à dire.

John tenta un sourire, Bauer, quant à lui, resta médusé.

Sur les cinq écrans, les visages se figèrent.

– Désolée! reprit Clara d'un ton ferme. Je n'ai pas l'habitude de travailler avec des écrans de télévision. Nous allons nous côtoyer pendant des mois. La moindre des choses serait de nous rencontrer.

Elle chercha son sac des yeux, décidée à aller jusqu'au bout de sa mauvaise humeur.

Bauer consulta Collins du regard, puis John.

– Je voulais nous faire gagner du temps, docteur Zellmeyer. Vous venez à peine de vous installer et nous avons les uns et les autres un agenda très chargé...

Clara planta son regard dans le sien et attendit. Bauer céda :

– Bon! Je vais vous donner satisfaction.

Il se saisit du téléphone.

– Norman? L'hélico dans cinq minutes. Direction Hoboken!

Clara se retrouva dans une salle aux proportions plus humaines. Les cinq chercheurs se levèrent à l'arrivée du groupe. Elle les reconnut sans difficulté et les salua chacun par leur nom, mettant dans sa voix toute la chaleur dont elle était capable. En dehors de Patterson, le doyen, ils avaient tous entre trente et trente-cinq ans et formaient la plus jeune équipe de savants avec laquelle Clara ait jamais travaillé. Aucun laborantin ou assistant des chercheurs présents n'avait été convié à la réunion. L'unité de recherche, avec ses équipes d'infirmiers, de biologistes, d'informaticiens et de secrétaires, se composait en fait de plus d'une centaine de personnes.

– Mademoiselle Zellmeyer n'est pas encore habituée à nos méthodes expéditives, plaisanta Bauer. Je la comprends. Je me demande si ce n'est pas nous qui faisons fausse route.

Clara apprécia la pirouette diplomatique avec laquelle Bauer venait d'enterrer l'incident. Elle éprouvait aussi une certaine fierté, même si cette première victoire avait été remportée facilement. Elle se trouvait enfin face à ses collaborateurs. Les questions qui la préoccupaient affluèrent à son esprit. Mais Bauer était lancé. Elle se retint donc d'intervenir tant qu'il n'eut pas achevé d'établir un rapide historique des recherches menées par la Morgan dans le domaine de Clara.

– ... notre erreur a été de dédaigner la complexité des molécules dérivées des benzodiazépines et des tricycliques, conclut-il. Tandis que mademoiselle Zellmeyer a orienté ses recherches vers la sélection et le tri des candidats anxiolytiques. Elle a isolé l'anxiolytique pur : la Substance B.

Bonheur se disant *happiness* en anglais, Clara était certaine que des chercheurs réinventeraient la plaisanterie éculée de l'Institut Pasteur.

– H comme hémorroïdes, lança Tim Patterson.

Plusieurs éclats de rire lui répondirent et l'atmosphère se détendit immédiatement. Clara en fut réjouie. Elle avait craint d'être victime d'un rejet du fait de sa nationalité et de sa qualité de femme, mais tous les regards tournés vers elle, surtout ceux des hommes, étaient bienveillants.

Bauer se tourna vers le responsable administratif du laboratoire qui le suivait comme son ombre. Celui-ci débita d'un ton monocorde :

– Le département d'Etat est intervenu auprès d'une association d'anciens marines de trente-cinq à quarante-cinq ans, hormis quelques officiers à la retraite âgés d'une soixantaine d'années. La plupart d'entre eux suivent des traitements dans des hôpitaux militaires ou civils. Une maladie commune : la psychose de la paix.

« Ces sujets d'expérience ont été arrachés à leur adolescence pour devenir des machines à tuer. L'attitude du peuple américain à l'égard du Viêt-nam en a fait des parias. Vaincus, ils ont été totalement rejetés à leur retour par la société américaine qui les a expédiés dans cet enfer...

Le regard de Clara se porta machinalement sur son assistante, Meryl Milligan. Le visage de la neuropsychiatre exprimait une vive émotion. Se sentant observée, Meryl se ressaisit aussitôt et fixa Jimmy Collins qui poursuivait son exposé.

– Le général James Westwood préside cette association. La plupart de ces vétérans se sont déjà portés volontaires pour notre programme.

– Vous avez l'intention d'administrer la Substance B à des centaines d'hommes sans essais préalables!

Bauer s'agita. John Conrad avait le regard rivé sur

Clara, les lèvres serrées, et semblait l'exhorter à ne pas aller trop loin. Elle ne tint pas compte de l'avertissement.

– Comment la Food and Drug Administration a-t-elle pu autoriser une procédure si hâtive, alors que depuis la thalidomide il faut plus de cinq ans à n'importe quel médicament étranger pour obtenir son approbation en territoire américain? Nous n'avons même pas encore étudié le temps de résorption de la Substance chez l'homme ni sa demi-vie métabolique. Nous ne savons même pas quelle est la protéine porteuse dans le plasma.

Bauer la coupa d'un ton sec :

– En accord avec l'Institut Pasteur, la Substance B est devenue une découverte américaine dont vous êtes bien entendu l'auteur. Plusieurs médicaments réputés pour être inoffensifs sur les animaux ont déjà bénéficié de cette procédure. La F.D.A. est du reste d'accord. Nous avons donc décidé d'éliminer tous les temps morts en injectant la molécule sur les volontaires par voie intraveineuse tandis qu'un autre département du laboratoire étudiera parallèlement la période de résorption par les voies classiques.

– Monsieur Bauer, vous vous rendez compte du danger...?

– La Morgan Chemical a déjà expérimenté plus de cinquante mille substances et lancé près de quatre cents médicaments sur le marché sans aucun accident, trancha Bauer. Vous reconnaissez vous-même la fiabilité de la Substance B. Refuseriez-vous aujourd'hui d'assumer la direction du programme sous prétexte que nous allons trop vite?

L'avertissement était clair. Et Clara le comprit. Bauer n'entendait pas s'encombrer d'une emmerdeuse. Tous les regards étaient braqués sur elle. John détourna son visage, jouant machinalement avec le capuchon d'un stylo.

Moins de 24 heures après son arrivée, Clara se trouvait le dos au mur. Son enthousiasme de chercheuse était en conflit avec sa rigueur morale, refusant la moindre compromission, ne révélant le résultat de ses démarches qu'une fois les expériences renouvelées et confirmées.

La procédure que voulait adopter Franck Bauer présentait un risque certain : aucun contrôle des effets secondaires à moyen terme ne pourrait être effectué avant le lancement du médicament sur le marché. Vingt mille bébés monstrueux étaient nés en Allemagne dans les années soixante à la suite d'une négligence similaire dans l'étude de la thalidomide. Seule la ténacité d'un fonctionnaire de la F.D.A. avait empêché un tel drame aux Etats-Unis.

Mais Clara n'avait qu'une alternative : entrer en guerre contre la Morgan Chemical après avoir refusé de diriger les recherches dans les conditions imposées par Bauer, ou bien contrôler le programme et s'assurer, malgré la procédure hâtive, de la fiabilité de la molécule sur l'être humain comme les essais sur l'animal le laissaient supposer.

En quelques secondes, elle revit les couloirs vitrés au sol impeccable des services de recherche. Elle songea aux millions de dollars que la Morgan Chemical avait dû investir en équipements électroniques installés dans des laboratoires accueillants et spacieux où travaillait une armée de chercheurs et de techniciens. Pas un instant, son ambition personnelle n'entra en ligne de compte dans sa décision. Bauer mettait à sa disposition un instrument de travail tellement perfectionné que la marge d'erreur possible devenait quasiment inexistante. Elle demanda :

– Combien de temps aurai-je?

Bauer et tous les membres de l'équipe étaient restés tendus à l'extrême durant sa courte période de réflexion. John, le premier, parvint à sourire.

– Un an avant le lancement sur le marché, répondit Bauer. Six mois avant la diffusion du produit dans les hôpitaux. Mais vous aurez tout le temps d'en apprendre plus sur la Substance en phase quatre.

Clara avait six mois devant elle pour rendre la Substance B... insubmersible.

Seulement six mois.

Bauer s'était évanoui, entraînant Collins avec lui.

Le premier contact de Clara et des membres de son service n'avait pas duré une demi-heure. Au bout d'un temps si court, son nouvel employeur l'avait chargée d'une besace d'un sacré poids. Peu de chercheurs vivants ou morts auraient eu les reins assez solides pour assumer un tel fardeau. « Pourquoi se cogner au rocher, pensa Clara, contournons-le et avisons. »

Elle salua, apparemment détendue, chacun de ses collaborateurs et s'apprêtait à rejoindre Conrad quand Meryl Milligan la rattrapa.

– Docteur Zellmeyer...

– Gagnons du temps, appelons-nous par nos prénoms, suggéra Clara.

– Je voulais seulement vous dire..., vous m'avez impressionnée tout à l'heure.

– Vous ne me devez aucune explication, répondit Clara.

– Il faut tout de même que vous sachiez. Mon mari a fait le Viêt-nam. Il s'est suicidé six mois après son retour. C'est pour cette raison que Franck Bauer m'a affectée à votre service. Mais n'ayez crainte, je saurai occulter ce souvenir.

Clara se sentit gênée et troublée par cette confidence. Elle en voulut à Franck Bauer. L'expérience douloureuse de Meryl serait sans doute un atout appréciable. Mais au prix de quel déchirement?

– Si vous ne vous sentez pas le courage d'affronter d'anciens soldats, Meryl...

– Non. Je vous en prie. Je tiens à faire partie de l'expérience.

Clara lui tendit la main.

– D'accord, dit-elle. N'en parlons plus.

Elle ajouta, d'un ton enjoué :

– Je sens que je vais fichtrement avoir besoin de vous. Depuis hier soir, j'ai l'impression d'avoir débarqué sur une autre planète.

INSTITUT PASTEUR, LE 6 JANVIER

Peu à peu les lumières s'éteignirent dans les différents services du vénérable Institut. Dirigeants, chercheurs, secrétaires, administrateurs, bref, l'univers des cols blancs faisait place à l'équipe de nuit; gardiens, surveillants responsables animaliers, laborantins chargés des tests mais aussi de la mise à mort des animaux servant aux expérimentations arrivaient alors.

Isabelle Fisher, assistante préférée de Clara Zellmeyer, était chargée de cette « solution finale », sans cruauté, sans douleur et pourtant inéluctable. Les jolies mains d'Isabelle décrivaient dans l'espace un ballet convenu : déchirer le plastique transparent protégeant la seringue stérile, fixer l'aiguille, prélever le Penthotal dans un flacon hermétiquement clos, enfiler un gant protecteur, saisir le rongeur dans sa cage et lui injecter le liquide fatal. Puis à l'aide d'un bistouri, pratiquer une incision du cou aux organes génitaux, écarter les tissus. Isabelle gantait ses longues mains de Lastex et, s'aidant de ciseaux, prélevait foie, rate, reins, poumons, cœur et différents organes pour les ensacher un par un dans une enveloppe plastique et les congeler.

Isabelle consulta la vieille pendule murale qui

datait, disait-on, du temps de Pasteur. Ses talons claquaient dans le hall désert qui accédait à l'animalerie. Elle n'en aurait pas pour longtemps. Elle examinerait soigneusement Oscar puis, dès demain, prendrait contact avec le directeur du zoo de Vincennes pour négocier l'arrivée de son nouveau pensionnaire. Isabelle avait vingt-six ans. En marchant, elle avait une façon de balancer les hanches qui réveillait la bête chez les hommes les plus stoïques. Elle aimait qu'on la regarde. Menue, les cheveux d'un blond lumineux, elle faisait des ravages avec son visage de petite poupée gourmande et ses yeux en amande d'un bleu très clair. Quoi qu'elle fasse, il émanait de sa personne une sensualité provocante.

Elle ouvrit son sac et en sortit une clef. Au moment de l'introduire dans la serrure, elle s'aperçut que la porte était déjà ouverte. Elle entra, traversa la vaste salle de travail où s'alignaient des paillasses en faïence blanche impeccablement entretenues. Une légère odeur de formol et de déodorant flottait dans la pièce.

Elle se dirigea vers une porte du fond, l'ouvrit et appela :

– Paul?

Elle revint sur ses pas, ouvrit une seconde porte. Le petit bureau sommairement meublé était vide, impeccablement rangé lui aussi. Isabelle contourna la table de travail et, d'un geste routinier, alluma l'écran vidéo. Des lettres s'inscrivirent en vert sur le gris métallisé de l'écran. Elle s'assit et, appuyant sur les touches de l'interphone, elle interrogea les différents numéros du service, appelant à chaque fois :

– Paul?

Elle haussa les épaules, ressortit du bureau et se dirigea vers la salle de dissection.

Personne.

Elle retourna dans la grande salle du laboratoire et s'engagea dans l'escalier en colimaçon qui descendait au sous-sol. Elle s'arrêta sur la dernière marche, à l'écoute.

– Paul, cria-t-elle, tu es là?

Seul le ronflement de la chambre froide lui répondit. Le bruit était inhabituel. Elle remarqua la porte entrouverte.

– Paul?

Dès qu'elle entra, un courant d'air glacé l'enveloppa. Elle rajusta le col en fourrure de son blouson. Elle frissonnait, immobile, attentive au moindre bruit.

– Paul, arrête de déconner, je sais que tu es là, lança-t-elle d'une voix forte.

Les joues colorées par le froid, la buée s'échappant de ses lèvres, Isabelle scrutait attentivement la demi-obscurité. Autour d'elle, alignés comme à la parade, des sacs en plastique contenaient les restes de onze Maccacus rhésus qu'elle avait elle-même sacrifiés. Chaque sachet portait une étiquette numérotée.

– Paul?

Le climatiseur qui maintenait l'air pulsé à moins quarante degrés ronronnait au-dessus de sa tête. Elle s'avança de quelques pas encore, ses talons aiguilles résonnant étrangement dans cet univers macabre. Isabelle adorait les talons aiguilles. Un léger grincement la fit se retourner. Son regard s'affola tout à coup : la porte de la chambre froide se refermait lentement.

– Arrête! cria-t-elle, c'est pas drôle du tout!

Elle se jeta contre le panneau et s'appuya de tout son poids pour le repousser. Derrière, il n'y avait personne...

– Je déraille.

Elle fit voleter sa longue chevelure autour de son visage.

– A quoi il joue, cet idiot?

La petite pièce dans laquelle elle se trouvait, au plafond bas et au sol carrelé, servait de vestiaire au personnel de service. Outre celle de l'escalier et celle de la chambre froide, une troisième porte donnait accès à l'animalerie. Tout en marchant, Isabelle défit le zip de son blouson. Elle pénétra à l'intérieur de l'animalerie. Toutes les cages étaient sinistrement vides, hormis celle où se tenait Oscar, les deux mains accrochées aux barreaux. Quand le singe la vit s'approcher, il gémit doucement en se balançant, le regard implorant. Isabelle lui prit la main et la caressa.

Elle quitta la cage et revint vers le vestiaire. Elle enleva son béret et secoua à nouveau ses longues mèches blondes. Elle se débarrassa de son blouson, l'accrocha sur un cintre, puis elle fit glisser sa jupe et enleva son pull-over. Elle portait un bustier et une petite culotte en dentelle, un porte-jarretelles et des bas à couture. Le tout était noir et contrastait avec la blancheur satinée de sa peau. Elle enfila sa blouse de travail. Elle échangea ses talons aiguilles contre des bottes en caoutchouc et, refermant la porte de son armoire, elle se tourna vers le miroir qui surmontait le lavabo. Elle commença à peigner ses cheveux avant de les rassembler en un chignon anarchique. Une épingle entre les lèvres, elle s'examina, guettant les dernières mèches folles qui pourraient la gêner.

– Tu sais que tu me plais, toi?

Un bruit sourd provenant de la cage d'escalier la fit sursauter. Elle se retourna en s'appuyant contre le rebord du lavabo. Sa main qui tenait encore la brosse à cheveux tremblait légèrement.

Elle resta quelques secondes, aux aguets, la bouche entrouverte, son œil bleu levé en direction de l'escalier. Un deuxième choc retentit, plus proche. Sa main se crispa sur le manche de la brosse. Au troisième coup, elle ne put en douter plus longtemps, quelqu'un descendait les marches.

– Qui est là? cria-t-elle d'une voix mal assurée.

Un quatrième choc lui répondit, puis un cinquième et un sixième.

Combien de fois avait-elle compté machinalement ces marches!... Il y en avait dix-huit.

– Paul, cria-t-elle, arrête de jouer à ce petit jeu! Si c'est toi, je te jure que tu vas passer un mauvais quart d'heure!

Les pas s'arrêtèrent juste derrière la porte qui donnait sur la cage d'escalier. Isabelle leva les bras, serrant la brosse à cheveux avec force, prête à frapper.

– Je te jure que...

Sa voix se brisa. La porte pivotait lentement sur ses gonds.

– Paul, arrête! cria-t-elle.

En un éclair, l'homme fut contre elle et lui saisit le poignet. C'était bien Paul, un colosse qui la dépassait de presque deux têtes et qui lui souriait de toutes ses dents jaunies. Ils restèrent ainsi, face à face, quelques secondes.

– Alors, dit l'homme. Elle a mouillé sa culotte, la petite Isabelle?

– Ne me fais plus jamais un coup pareil. La prochaine fois, je te fends le crâne.

L'homme continuait à ricaner. Il lui lâcha le poignet, la prit par la taille et se colla contre elle. Isabelle ne chercha pas à se dégager. Elle regardait les deux petites pilules vertes que l'homme agitait devant ses yeux.

– Regarde ce que t'apporte le Père Noël...

– Qu'est-ce que c'est?

– Du Qualud. La défonce du consommateur.

Il la prit par la taille à nouveau et voulut l'embrasser sur la bouche.

– Non, dit la jeune femme, pas maintenant. J'ai une série de prélèvements à faire.

– Merde! protesta l'homme, pour une fois qu'on est seuls, on pourrait prendre notre temps.

Isabelle avait retrouvé son assurance. Sa blouse de coton était restée ouverte. Elle commença à la boutonner en ondulant des hanches.

– Détrompe-toi, mon vieux. Leitienne peut se pointer n'importe quand. Rien que pour nous emmerder...

– Si tard! s'exclama l'homme, ça m'étonnerait.

– Allez, Paul, au boulot! Profite de l'occasion pour nettoyer la cage d'Oscar. Tu sais que Clara a réussi à obtenir sa grâce?

– Sans blague? Qu'est-ce qu'elle a bien pu lui faire, à Joliot? Un câlin, tu crois?

– Elle a fait du bon travail...

– Je te crois! ricana Paul.

– Tu n'es qu'une bête! Amène-moi Oscar, au lieu de dire des bêtises!

Paul Bonieck poussait devant lui le chariot qui servait à déplacer les cages. Le système était vétuste. Il datait des années cinquante et, faute de crédits, il était maintenu, bien que chaque année, avant d'établir le budget, on parlât de réaménager l'animalerie. Paul Bonieck s'était fait une raison. D'une certaine manière, cet attentisme lui convenait. Oscar se tenait tassé dans sa cage, le regard vide.

– En route, tocard! lança l'animalier.

Bonieck prit le temps d'allumer un de ces fins cigares bon marché qui arrachent la gorge, s'amusa à en souffler la fumée à la face du Maccacus. Oscar se déplaça en grognant, les lèvres retroussées, montrant les dents.

– Tu ne m'aimes pas, hein, sale bête? Eh bien, c'est réciproque!

Paul Bonieck ponctuait ses phrases de petits gestes méchants pour exciter le Maccacus rhésus. Il n'aimait pas les animaux et plus particulièrement les singes. Mais il était persuadé qu'il était le seul à savoir s'y prendre avec eux. Partisan de la manière forte, il se fichait pas mal du protocole. Depuis onze ans, il s'occupait de l'animalerie de l'Institut. Nettoyer les cages et nourrir ses pensionnaires était devenu une seconde nature. Il travaillait en pensant à toute autre chose, à la croupe d'Isabelle par exemple.

Oscar était sa bête noire, et cela depuis le premier jour. A cause de la Zellmeyer qui n'avait d'attention que pour son singe : pendant trois ans elle avait fait de lui le larbin de sa tribu de macaques. « Monsieur Bonieck, allez voir comment va Oscar. Monsieur Bonieck, allez me chercher Oscar et surtout, faites attention, il ne faut pas l'effrayer. » Elle avait beau lui donner du Monsieur, Oscar passait avant lui.

Il déplaça la cage sans ménagement pour l'amener sur le chariot en continuant à souffler sa fumée en direction du macaque. Oscar commençait à s'agiter. Tandis que l'homme poussait son chariot, le singe s'agrippait des mains aux barreaux de la cage et grognait de plus en plus furieusement.

Paul Bonieck roula son chariot à l'intérieur du monte-charge et ressortit aussitôt, mais, avant de refermer la porte, il se précipita contre la cage en hurlant. Oscar voulut lui sauter dessus, il ne put que rugir et battre l'air autour de lui à travers les barreaux.

– Ah, ah, monsieur s'énerve! lançait Bonieck en se tenant à bonne distance, mais ce n'est pas bien, ça! La madame serait pas contente si elle voyait son petit chéri dans cet état!

Il referma brutalement la porte de la cabine et mit le mécanisme en marche. Le monte-charge s'ébranla. Paul Bonieck ne prenait jamais l'ascenseur, il préférait l'escalier. Il s'arrêta quelques instants devant la glace du vestiaire pour s'examiner et arranger sa chevelure. Il se trouvait irrésistible. Son visage épais aux angles marqués, aux yeux noirs très rapprochés et d'une inquiétante fixité n'était pas sans beauté, une beauté sauvage.

Quand il pénétra dans le laboratoire, Isabelle, debout devant la paillasse centrale, préparait ses seringues. Paul Bonieck s'arrêta pour la contempler puis s'approcha sans bruit et, saisissant la jeune femme, l'attira contre lui.

– Arrête! fit Isabelle sans grande conviction.

Elle souriait.

– Laisse-moi travailler.

– Tu m'excites, souffla Paul Bonieck sans relâcher sa prise.

Il colla ses grosses lèvres contre l'oreille de la jeune femme et commença à lui parler à voix très basse tout en lui caressant les seins. Isabelle se dégagea d'un coup de reins en riant. Sa langue pointa entre ses lèvres.

– C'est toi qui es un vrai cochon, oui! s'écria-t-elle. Je t'ai dit de m'amener Oscar.

– Amène Oscar! reprit Paul Bonieck avec un petit rire nerveux. Je ne suis bon qu'à ça, ici! Tu vas voir, tu ne perds rien pour attendre, espèce de petite allumeuse, tu vas en prendre plein les miches tout à l'heure.

– Paul, arrête, il faut que je travaille.

– O.K., baby.

Paul Bonieck fit jouer le mécanisme à glissières du monte-charge, la porte s'ouvrit et il tira le chariot vers lui. Oscar semblait s'être calmé. Poussant la cage sur son chariot, l'animalier s'engagea dans l'allée centrale.

– Où veux-tu que je le mette? demanda-t-il.

– Là.

Isabelle désigna la paillasse d'un mouvement des hanches. Très concentrée, elle préparait ses instruments et ne s'occupait de rien d'autre. Elle prit la seringue et s'approcha de la cage. Chacun de ses gestes était empreint de sensualité et de provocation. Paul Bonieck n'avait d'yeux que pour ce corps presque immobile mais terriblement désirable... Il se déplaça tout à coup, sautillant légèrement pour se placer derrière elle. Il s'arrêta, hésitant.

– Ne joue pas au con maintenant, je bosse, dit Isabelle sans se retourner.

Bonieck eut un rire un peu nerveux.

– Je suis sûr que tu as aussi envie que moi.

– Fous-moi la paix, Bonieck, sinon je vais te calmer avec ça, dit-elle en lui montrant la seringue.

Pour la seconde fois, sa langue passa entre ses lèvres, mais elle se détourna et reposa la seringue sur la paillasse. D'un bond, Paul Bonieck fut sur elle, il la saisit à bras-le-corps et la fit pivoter vers lui.

– Arrête de m'exciter, espèce de pute! cria-t-il.

Le visage en feu, il soufflait à présent comme un bœuf, tandis que ses mains défaisaient les boutons de la blouse. Isabelle tenta de se dégager mais sa résistance manquait de conviction. Elle se pâmait déjà, protestant malgré tout :

– Non, Paul, je t'en prie, Paul, je t'en prie, laisse-moi...

– Tu mouilles, salope, lui souffla-t-il dans les cheveux.

– Paul!

– Après, je te filerai ta petite pilule, laisse-toi aller.

– Non, Paul, non!

Paul Bonieck voulut la prendre par la taille pour la soulever et la coucher sur la paillasse, mais il perdit l'équilibre et ils tombèrent ensemble, entraînant avec eux un carton plein d'éprouvettes qui se répandit à terre dans un épouvantable bruit de verre brisé.

– Espèce de connard! lança Isabelle, tout à fait dégrisée, tu vas me nettoyer ça tout de suite!

Elle reboutonna sa blouse en reprenant son souffle.

– O.K., mademoiselle Fisher, on va s'occuper d'Oscar! répondit rageusement Paul Bonieck.

Il contourna la porte au pas de charge en continuant à grommeler et ouvrit la cage rageusement, saisissant le macaque par un poignet pour le tirer de l'extérieur.

– Viens ici, espèce de tocard, cria-t-il, sinon je vais être obligé de te corriger.

Mais Oscar résistait. Ses yeux roulaient en tous sens dans ses orbites, et il grognait à la fois de peur et de colère, refusant de sortir de sa cage. Paul Bonieck s'arc-bouta et tira violemment le macaque vers lui, le jetant par terre sous le regard horrifié d'Isabelle.

– Attention, Paul, cria-t-elle, je t'interdis de passer tes nerfs sur lui, tu vas finir par l'énerver pour de bon.

L'homme pesta :

– C'est toi qui l'énerves, oui.

– Je t'en prie, Paul, calme-toi... Tu me fais peur. Attache-le, s'il te plaît.

– Pas besoin, ma belle, avec tout ce que vous lui avez fait avaler depuis deux ans, il est doux comme un agneau.

A présent, il tenait le singe contre lui par une solide clé au bras. Oscar semblait désemparé. Son corps tremblait. Une mousse brune s'échappait de ses lèvres retroussées.

– Allez, avance, connard!

L'homme accentua sa prise. Le macaque se plia en deux. Il exprimait sa souffrance par des petits gémissements plaintifs. Isabelle voulut crier, mais aucun son ne sortit de sa bouche. Avec une vivacité inattendue, Oscar se dégagea de l'étau et se jeta sur Bonieck. Il le saisit à la gorge et le mordit. Il n'était plus Oscar, mais un Maccacus rhésus devenant brusquement fou furieux et qui ne voulait plus qu'une chose : tuer. Le sang coulait. Bonieck, affolé, tentait de se libérer. L'homme et le singe s'écroulèrent, enlacés. Ils roulèrent sur le carrelage, l'homme ahanant, la bête rugissant tout en resserrant son étreinte.

– Mais il veut ma peau, ce salaud!

Il étouffait, haletait et frappait au hasard sans parvenir à échapper au primate. Il réussit enfin à toucher durement le macaque.

Oscar poussa un cri et relâcha sa prise.

Pâle, la gorge lacérée, Paul Bonieck était méconnaissable. Il chercha autour de lui un objet pour se défendre. Consciente de son impuissance à empêcher l'horreur qui s'accomplissait sous ses yeux, Isabelle sanglotait. Le singe se précipita à nouveau sur sa proie, bondissant par-dessus les tables. Bonieck réussit à l'éviter une première fois. Il se déplaça le long de la paillasse sans quitter le macaque des yeux. Il y eut un bref instant de répit durant lequel l'homme et la bête semblèrent se mesurer.

Bonieck plongea sa main dans sa poche et en ressortit un couteau à cran d'arrêt.

– Non! hurla Isabelle.

Mais Bonieck, possédé par une pulsion meurtrière, ne pouvait plus entendre. Oscar se jeta sur lui. D'un geste vif, l'homme lui trancha la gorge. Oscar porta les mains à son cou, regardant sans comprendre le sang couler par saccades entre ses doigts velus, puis chercha le regard des humains comme pour leur demander la raison de cette soudaine faiblesse. Il fit encore un pas. Son œil s'assombrit. Il s'écroula d'un seul coup, les prunelles révulsées.

Le couple se tut pendant d'interminables secondes.

Isabelle réagit la première. Elle contourna les tables pour venir contempler le corps d'Oscar qui gisait dans son sang. Paul Bonieck regardait devant lui, fixement. Sa main tenait toujours le couteau.

– Je vais nettoyer, dit Paul Bonieck dans un souffle.

– Nettoyer! répondit la jeune femme, et moi, qu'est-ce que je vais faire?

Elle était au bord de la crise de nerfs. Elle se figea tout à coup, répétant d'une voix cassée :

– Et moi, qu'est-ce que je dois faire maintenant?

Tournée vers Bonieck, elle lui cria :

– Hein! dis-moi ce que je dois faire maintenant?

Paul Bonieck replia calmement son couteau et le remit dans sa poche sans la quitter des yeux.

– Pas d'affolement, dit-il, on va tout remettre en ordre. Personne ne saura.

Elle s'avança vers lui, menaçante :

– Il n'en est pas question!

L'homme eut un geste désinvolte. Il ajouta d'une voix glaciale :

– Tu n'as pas le choix, ma petite.

– Ce n'est pas parce que tu vas faire le ménage que le problème sera réglé! Je n'ai pas le droit de tricher avec Clara...

Paul Bonieck haussa les épaules.

– Tu ne vas pas me les casser parce qu'un macaque est mort, non? Ça peut faire un infarctus, un singe! Eh bien, tu vas inscrire sur ton rapport : « mort par arrêt cardiaque ». Et puis tu vas autopsier. Tout baigne.

– Non, Paul.

Elle était calme à présent.

– Oscar est devenu fou furieux. Si Zellmeyer ne sait pas exactement tout ce qui s'est passé... Essaie de comprendre, c'est très, très grave.

Le ton presque amical avec lequel elle argumentait produisait quelque effet sur Bonieck. Le front plissé par une réflexion intense – état pour lui inhabituel – il semblait pour la première fois peser les conséquences de l'accident.

– Clara est aux Etats-Unis. Elle va traiter les hommes avec le même produit. En cas de pépin, tu vois ce que ça donnerait...?

Une seconde, Isabelle crut l'avoir persuadé. Mais cela ne dura qu'une seconde. Il avança vers elle, l'œil mauvais.

– Ecoute, petite allumeuse, si jamais tu racontes quoi que ce soit, t'auras plus jamais l'occasion de l'ouvrir.

– Paul!

– Paul mon cul, c'est Bonieck qui te parle maintenant, et Bonieck est pas un pigeon! Tout est de ta faute, mets-toi bien ça dans le crâne.

– Pense ce que tu veux..., ça m'empêchera pas de dire ce qui s'est passé!

Il esquissa un mouvement dans sa direction. Instinctivement, elle recula bien qu'il fût à plusieurs mètres d'elle.

– Moi aussi je peux faire un rapport, menaça-t-il. Je vais leur raconter comment tu te fais tirer par tous les mecs.

– Raconte ce que tu veux, je prends le risque. C'est ta parole contre la mienne.

– Je peux leur en mettre dix pages, avec les détails et les Polaroïd par-dessus le marché.

– Quels Polaroïd?

– Tu sais très bien de quoi je veux parler...

– Tu m'as juré que tu les avais détruits.

– T'as pas le choix, je te dis. Je nettoie et tu remplis tes fiches. Tout baigne, Isabelle... Absolument tout.

– Non, répéta la jeune femme sur un ton désespéré, je ne peux pas faire une chose pareille.

– Ils n'y verront que du feu. T'en as rien à foutre de Zellmeyer ni des amerloques. C'est pas ton problème. Allez, vas-y.

Isabelle se laissa choir devant le clavier. Paul Bonieck agrippa l'épaule de la jeune femme et la serra.

– Vas-y. C'est pas compliqué. Crise cardiaque. Et pas de blague, hein?

– Tu me fais mal, dit-elle d'une voix brisée tout en pianotant comme une automate.

Paul Bonieck desserra son étreinte.

– Je t'apporte la bête. Quand t'auras terminé, je te filerai ta pilule et on se paiera une bonne baise.

Isabelle ne voyait plus très bien les signes qui s'alignaient sur l'écran.

Elle pleurait.

WASHINGTON, LE 8 JANVIER

Don Pfeiffer débarqua à Washington le 8 janvier.

Il s'installa à Georgetown, dans une villa abandonnée une grande partie de l'année et dépendant du patrimoine séculier.

Don Pfeiffer avait rendez-vous dès le lendemain avec Christopher Millian, fonctionnaire de la Food and Drug Administration, fervent catholique. Accessoirement il était chef de service au bureau des autorisations de mise sur le marché des nouveaux médicaments.

NEW YORK, LE 12 JANVIER

Ce matin du 12 janvier, Clara se rendait à Hoboken pour une dernière visite à l'aile transformée en section hospitalière, préparée pour recevoir les vétérans. Elle devait ensuite les rencontrer au foyer d'anciens combattants créé par le général Westwood, dans le quartier mouvementé des docks est.

En quinze jours, Clara Zellmeyer avait eu tout

loisir de s'intégrer à son équipe. Chaque matin, John Conrad venait la chercher à son domicile, s'assurait qu'elle ne manquait de rien, empruntait avec elle le long couloir conduisant aux ascenseurs, l'entraînait quarante étages plus bas puis l'escortait vers un second ascenseur auquel il avait accès grâce à une carte magnétique. Enfin, il remontait avec elle jusqu'au toit de l'immeuble, situé trois étages au-dessus de son appartement, où l'attendait un hélicoptère. Destination Hoboken.

Clara s'était étonnée de cette étrange procédure.

– Les accès sont compartimentés, lui répondit Conrad. Pour aller directement sur le toit depuis votre appartement, il vous faudrait emprunter l'ascenseur privé de Bauer. Aucun employé n'est autorisé à traverser les deux derniers étages sans son accord.

Clara avait accueilli l'information d'un haussement d'épaules.

Bauer ne s'était pas montré une seule fois durant ces deux premières semaines. Clara, quant à elle, avait passé son temps entre son appartement et le laboratoire d'Hoboken, trop épuisée après chaque journée de travail pour songer à faire du tourisme. New York attendrait.

Elle mit ce temps à profit pour élaborer avec ses collaborateurs une méthode d'approche des candidats de l'expérimentation. Très vite, les qualités de Meryl Milligan lui étaient apparues. Elle appréciait son efficacité et ses compétences en neuropsychiatrie étaient dignes d'éloges. Meryl savait se montrer discrète, prévenante et ne faisait jamais état de son doctorat qui la plaçait au niveau de Clara.

La personnalité de Tim Patterson était également attachante. Le biologiste prenait sa tâche très au sérieux. Sa conversation était un festival de traits d'humour et d'histoires drôles sur les milieux médicaux. Clara s'étouffa de rire plus d'une fois, lors de réunions interminables et tendues au beau milieu desquelles la voix un peu rauque de Jim s'élevait soudain pour annoncer : « Vous connaissez celle du biologiste myope qui ne savait pas faire la différence entre un rat et une brosse à cheveux? »

Manifestement Alan Bowel était homosexuel mais ses goûts particuliers ne s'accompagnaient d'aucune ostentation. L'ensemble du groupe l'appréciait tout autant pour sa douceur que pour son ardeur à la tâche.

Elle n'avait que peu de relations avec Myriam Herman et Kimberley Adams, la quatrième femme complétant l'équipe, mais toutes deux faisaient preuve d'un haut niveau de compétence. Elle n'avait qu'à se féliciter d'un tel entourage professionnel.

NEW YORK, LE 12 JANVIER

Le *yellow cab* déposa Don Pfeiffer devant le poste 198.

On avait attribué aux vétérans cette ancienne boutique de quincaillerie. La façade grossièrement repeinte aux couleurs nationales portait encore sur son bandeau la trace de sa fonction précédente : Hardware Store. Les volets qui protégeaient les vitrines, badigeonnés de bleu et d'étoiles blanches, laissaient voir les différents rayons offerts par la Benson's Hardware Illimited. Seule la porte grande ouverte, devant laquelle deux hommes stationnaient en surveillant les passants, était brillamment éclairée.

Il laissa le chauffeur dépasser l'entrée du poste et se fit déposer à l'angle de Canal Street, un de ses quartiers préférés entre Chinatown et Little Italy.

Les souvenirs lui revenaient de Chop-Sue et de pizzas savoureuses.

Don Pfeiffer avait faim. Il avait toujours faim. Il revint sur ses pas, longeant les vitrines des bijoutiers juifs, en direction du poste. Il perçut le bruit confus qui jaillissait de la porte comme un flot d'air chaud, mélange de rumeurs et de musique syncopée. Les deux vétérans qui se tenaient sur le pas de la porte s'arrêtèrent de parler pour regarder s'avancer Don Pfeiffer.

Voilà ce que leur faisait découvrir le lent regard panoramique qu'ils portaient sur l'envoyé spécial de Sa Sainteté : coloriste distingué, Don Pfeiffer arborait une calotte vert vif, une veste de cavalier de concours hippique de drap violet ajustée comme elle le pouvait autour de ses pectoraux imposants. Une culotte de cheval kaki prolongée par des bandes molletières conduisait à des chaussures d'alpinisme en toile blanche étoilée de rouge.

– Ciel, une apparition! dit le plus grand des vétérans, laissant échapper sa canette vide qui rebondit à ses pieds. Fini la Budweiser! Serait-ce une rencontre du troisième type?

Il se redressa et salua :

– Caporal Garrington, pour vous servir.

– John Johnson, bougonna la seconde silhouette en retrait.

Don Pfeiffer détailla rapidement les deux hommes. Celui qui lui avait le premier adressé la parole avait un visage de poupon prématurément vieilli, surmonté d'une chevelure blonde aplatie par son calot. Le second, plus massif, paraissait plus âgé. Il portait sur son blouson synthétique une double rangée de médailles. Son ventre impressionnant semblait interdire l'entrée du poste. Tous deux avaient le regard un peu vague. Un carton de canettes de bière, largement entamé, penchait dangereusement sur la première marche.

Il leur sourit comme à deux vieilles connaissances et demanda :

– Je voudrais voir le général Westwood.

Ancien de West Point, le général Westwood avait été décoré sept fois pendant la Seconde Guerre mondiale. Vétéran de Corée où il avait gagné sa première étoile avant d'opérer au Viêt-nam, il s'était vu offrir cent mille dollars par une Major Company pour interpréter son propre rôle dans une production sur les Bérets verts.

Il avait refusé. Il devait abattre un prisonnier de sang-froid, se tourner vers ses hommes et clamer : « Il n'y a de bon Vietcong qu'un Vietcong mort! »

« Vous vous trompez d'homme », avait répondu Westwood aux producteurs. Le film n'avait jamais vu le jour.

A l'époque, le peuple américain se sentait coupable. Les accords de Paris en étaient à leur phase finale et Westwood, amer, venait de partir à la retraite, ayant pris sa part de l'inéluctable défaite. Les choses avaient changé depuis. Peu à peu, l'opinion américaine découvrait la misère de ces vétérans. Des dons de plus en plus nombreux – le plus souvent anonymes – étaient adressés à son association. Westwood avait profité de ce revirement inespéré pour organiser son foyer, créer de nouveaux services – telle l'assistance juridique d'anciens G.I.'s délinquants – et lancer plusieurs campagnes d'opinion pour la réinsertion des prisonniers de guerre et des anciens combattants. Ses hommes l'adoraient, l'appelaient encore « mon général » et se bousculaient à ses conférences.

James Westwood mesurait près de deux mètres.

Sa stature imposante, ses yeux bleus, son menton volontaire auraient fait ressembler John Wayne à une demi-portion. Sa calvitie presque totale lui conférait un surcroît de présence qui forçait le respect des antimilitaristes les plus convaincus.

Le général relut soigneusement la missive remise par l'inconnu qui lui faisait face. Puis il le fixa intensément, cherchant son regard. L'inconnu lui tint tête et, au bout de quelques secondes, ils se sourirent comme deux vieux complices utilisant le même procédé éventé. Malgré son visage dessiné à gros traits – une trogne plutôt –, son large front, son nez busqué, l'aisance souriante avec laquelle il s'exprimait lui conférait une certaine noblesse.

– Qu'est-ce que l'Eglise catholique a à foutre avec mes vétérans? demanda-t-il à son vis-à-vis.

– Je sais, il y a plus de protestants et d'incroyants que de catholiques parmi vos hommes. Nous souhaiterions leur apporter quelque réconfort, répondit Don Pfeiffer, copiant outrageusement le ton sentencieux du cardinal Interlinghi.

– Les types à soutane m'ont toujours fait marrer, rugit le général Westwood. Surtout quand ils bénissent les B 52 bourrés de napalm jusqu'à la gueule!

Don Pfeiffer n'eut aucune réaction. Le général ne savait visiblement pas faire la différence entre un prêtre et un émissaire du Vatican. Il lui avait pourtant clairement défini son rôle avant de lui exposer sa requête. Tout ce qu'il voulait obtenir était l'autorisation de fréquenter le foyer réservé aux vétérans... Il comprit, au regard de Westwood, qu'il n'était pas loin d'obtenir cet accord.

Une semaine auparavant, Don Pfeiffer avait longuement conversé avec Christopher Millian, chef de service de la F.D.A. Les renseignements qu'il était parvenu à en tirer le rendaient perplexe. La F.D.A. avait reçu une ferme recommandation du gouvernement : se montrer clémente envers la Morgan Chemical. La Food and Drug Administration, réputée pour sa probité exemplaire, son indépendance totale à l'égard du gouvernement, le Congrès ou même le président des Etats-Unis, réagissait très mal à ce type de pression.

– Qui donc est intervenu pour que le dossier de la Substance B obtienne un tel régime de faveur?

– Je n'en ai pas la moindre idée, avait répondu Christopher Millian. L'affaire a été traitée au plus haut niveau. Elle m'est passée sous le nez. Je suis furieux. Le département d'Etat va lui-même fournir les sujets humains. Aussi invraisemblable que cela puisse vous paraître, c'est la seule information qui a transpiré.

Puis il avait ajouté :

– Comment êtes-vous au courant? Même chez nous, c'est « Top Secret. »

Don Pfeiffer avait aussitôt pris rendez-vous avec le général Westwood à New York. Il ne lui restait plus, à son tour, qu'à observer les sujets.

– Je vous prends à l'essai comme scrutateur, décida Westwood en éclatant d'un rire communicatif. Et puis, j'imagine la tête de mes gars lorsqu'un curé viendra leur poser des questions...

– Pas curé, corrigea Don Pfeiffer. Emissaire civil du Vatican! Et leur tête, je vais la voir de ce pas.

Le bar du foyer était en pleine effervescence. Des défis stupides étaient souvent lancés. Aussitôt les paris s'organisaient. Tout était bon pour oublier la peur qui étreignait les G.I.'s jadis sous leurs tentes de campagne. Avec fièvre ils misaient alors un mois de solde ou leur ration de cigarettes sur un coup de tête parce que l'un des leurs n'avait pas été capable de rester debout, les bras croisés face à l'ennemi, ou bien de tourner sur lui-même à la manière d'un derviche, ou avait pu au contraire mâcher un paquet de lames de rasoir en moins de cinq minutes...

Cette fois, Guido Rambaldi avait dépassé les bornes de l'extravagance.

– Ça, mon vieux, c'est impossible! Je mise deux cents billets contre toi.

Impassible, les mains posées à plat sur la table, Guido attendait que les enchères montent. Une trentaine de marines étaient présents. Deux d'entre eux, qui avaient fait partie de la même unité que lui, se chargèrent des paris.

– O.K., les gars! Qui le joue à cinq contre un?

Les esprits s'enfiévrèrent.

– Cent dollars, à cinq contre un, hurla un grand noir vêtu de son uniforme élimé de sergent.

Derrière le comptoir, le barman essuyait consciencieusement ses verres sans rien perdre du spectacle. Il avait fait ça toute sa vie. A Chicago, d'abord, dans un des quartiers restés chauds bien après la prohibition, puis dans le Bronx, un automatique dans la poche, une matraque à portée de la main, avant d'être envoyé au Viêt-nam pour y tenir le mess des officiers dont il établissait les heures d'ouverture sur les horaires immuables des bombardements.

– Dix dollars pour, grogna-t-il. Je mise toujours sur les plus dingues.

Un petit Portoricain s'approcha de la table où Guido attendait sereinement.

– Tu es d'accord pour que je casse les bouteilles moi-même?

– Tout ce que tu veux, mon vieux. Et c'est pas la peine de les passer à l'alcool.

Le Portoricain dévoila une rangée de chicots noirâtres avant d'éructer :

– C'est bon! Cinquante contre.

Un des compères de Guido happa le billet. A cet instant, un inconnu qui se tenait jusque-là à l'écart se fraya un passage entre les hommes et se planta devant Rambaldi.

– Je marche avec toi, dit-il. A cinq contre un. Trois cents dollars.

Guido le dévisagea.

– Je te connais pas, toi. Tu es nouveau. D'où viens-tu?

Don Pfeiffer tendit la main vers lui.

– Je m'appelle Pfeiffer. J'ai rendez-vous avec le général Westwood.

Le vétéran ne parut pas impressionné.

– Tu dois être friqué pour risquer trois cents billets sur moi.

Don Pfeiffer lui fit un clin d'œil.

– Je sais faire la différence entre un type sûr de lui et un type qui se vante...

Cela avait commencé une demi-heure plus tôt alors qu'un match de catch était retransmis sur le téléviseur du foyer. Le « Diable d'Atlanta », un mastodonte, venait de plaquer sur le sol son adversaire qui lui rendait bien vingt kilos. Contre toute attente, le catcheur écrasé était parvenu à tourner la situation à son avantage par une manœuvre diabolique.

– Tu as vu ça! s'était exclamé un marine. Cent vingt-cinq kilos sur le dos et il l'a retourné comme une crêpe!

– Tu parles, avait prétendu un autre vétéran. Des types comme Guido sont trois fois plus maigres et en soulèvent six fois plus!

L'autre de ses compères avait échangé avec Guido un regard de connivence.

– Eh, Guido, t'entends ça! C'est vrai ce qu'il raconte?

Rambaldi avait fini tranquillement son fond de whisky sur le bord d'une table branlante.

– Hum, hum. A quatre pattes ou sur le ventre?

– Sept cents kilos? J'en crois pas un mot.

Guido s'était contenté de hausser les épaules. L'ambiance s'était aussitôt enfiévrée.

– Ils se foutent de nous, les gars.

Guido avait accepté d'être mis à l'épreuve.

– Combien d'hommes peux-tu soulever?

– Des comme vous? Au moins huit!

L'excitation était montée. Après bien des palabres,

ils avaient convenu enfin des règles du pari : une table retournée posée sur son dos, Guido Rambaldi devrait s'en dégager avec huit hommes assis dessus. Ce qui paraissait impossible, malgré sa belle stature. Par pur sadisme, quelqu'un avait voulu corser le jeu et suggéré que des tessons de bouteilles soient placés sous son ventre.

Guido s'était contenté de sourire, puis de hocher la tête.

– Avec les tessons, je n'accepte les paris qu'à cinq contre un!

Le barman donna le signal du départ. Il choisit plusieurs bouteilles de whisky vides que le Portoricain s'empressa de briser sur le bord du comptoir. Guido quitta sa chaise, se laissa glisser sur le sol et prit appui sur ses genoux et sur ses coudes. Quelques arrivants tardifs, gagnés par l'excitation, se joignirent aux parieurs.

– Guido, s'exclama un de ses compagnons, on a plus de trois mille dollars à se partager!

– Je ne commencerai qu'à cinq mille.

Ses paroles furent accueillies par des cris.

– Il est tellement dingue, ce mec, je rajoute cinquante!

– Moi, je vais jusqu'à cent.

Rapidement, les deux mille dollars manquants furent rassemblés. Don Pfeiffer aida un Noir vêtu d'un treillis à poser une table sur le dos de Guido. Puis le Portoricain glissa les tessons de bouteille sous son ventre.

– Hé, Guido, tu es sûr que ça vaut le coup de se faire transpercer le bide pour cinq mille billets?

– On s'est bien fait trouer la peau pour trois cents dollars par mois!

Sifflements. Applaudissements.

L'un après l'autre, les huit hommes, choisis en fonction de leur corpulence, prirent place sur la table.

– Posez-vous doucement, gronda Don Pfeiffer. Ne

trichez pas. Si l'un d'entre vous se laisse tomber de tout son poids, je lui mets un pain!

Les muscles saillants, Guido commença à s'affaisser. Ses bras et ses genoux supportaient une charge intolérable. Son visage s'empourpra. Ses yeux semblaient prêts à jaillir de leurs orbites.

– Vas-y, Guido!

Même ceux qui avaient parié contre lui l'encourageaient de leurs exclamations. Son coude gauche glissa. Il dut faire appel à toutes ses forces pour ne pas basculer de côté. Sous son ventre, les tessons acérés pointaient dangereusement. Un grondement sourd s'éleva de sa gorge : le cri du bûcheron qui s'apprête à abattre sa hache. Il perdit encore quelques centimètres.

– Guido! Guido!

– Allez! Tu ne vas pas te laisser écraser par huit connards!

Sur la table, les vétérans arboraient un sourire béat. Aucun d'entre eux n'avait misé sur son succès.

L'arête d'une bouteille effleura son torse. Il en sentit la pointe à travers l'épaisseur de sa chemise.

– Il craque! s'exclama le Portoricain. Une serpillière, le sang va gicler!

Mais « l'impossible » se produisit. Prenant appui sur son coude droit, il libéra son bras gauche et posa la paume de sa main sur le sol. Puis il renouvela l'opération de l'autre côté. Alors, lentement, millimètre par millimètre, ses épaules se soulevèrent, entraînant la table et les huit hommes. Faisant appel à sa concentration de karatéka, Guido trouva un surcroît de force. D'un seul coup il tendit ses deux coudes. La table bascula. Plusieurs hommes s'étalèrent sur le sol. Couvert de sueur, Guido se redressa. Victorieux! Chacune de ses veines saillait comme si elle allait exploser.

Les vétérans accueillirent son exploit par des hurlements de joie. Certains venaient de perdre jusqu'à trois cents dollars. Mais ils avaient payé pour voir. Et ils n'étaient pas déçus.

– Vous vous êtes fait avoir, railla le marine qui s'était chargé des paris. J'étais dans la même unité que lui avant qu'il gagne ses galons. Il a envoyé paître un major pendant l'entraînement. Ce salaud lui a filé cent pompes sous le soleil...

– Et alors? demanda le Portoricain en lorgnant les billets qu'il venait de perdre.

– Il en a fait deux cents, puis il s'est fumé une cigarette.

De nouveaux cris enthousiastes acclamèrent ce second exploit.

– Tu exagères toujours, intervint Guido. Je me suis arrêté à cent quatre-vingts.

Puis il empocha sans la compter la part qui lui revenait. Les commentaires se tarirent, puis quelqu'un pensa à redresser la table. Aussitôt les regards reprirent leur morne fixité. Le barman tendit une bouteille de whisky à Guido.

– Cadeau, annonça-t-il.

Encore essoufflé, Guido s'apprêta à la déboucher. Une main se posa sur son bras.

– Emportez-la, proposa Don Pfeiffer. C'est ma tournée.

Guido leva vers lui un regard soupçonneux et écarta son bras.

– Pfeiffer, c'est ça? Qu'est-ce que tu cherches vraiment, avec ta cape de vampire?

Don Pfeiffer s'apprêtait à répondre, satisfait de pouvoir essayer l'efficacité de sa couverture.

– Je voudrais établir des contacts avec les vétérans qui vont être sujets d'expérimentation pour la Morgan Chemical. Si ça vous intéresse...

Il fut interrompu par les exclamations d'un marine :

– Hé, les gars! Ils sont là, les cinglés du labo qui nous offrent mille dollars la journée!

Les vétérans s'agitèrent. Certains cachèrent leur verre de whisky. Le pouls de Don Pfeiffer s'accéléra. Quelle chance! Se trouver là au moment précis où l'équipe du docteur Zellmeyer entreprenait sa première investigation auprès des vétérans! Mais Don Pfeiffer était bien placé pour croire à la Providence.

Le général Westwood ouvrait la marche, suivi par les docteurs Milligan et Collins. Clara Zellmeyer s'était arrêtée au sommet des marches conduisant au mess. Le général se retourna et remonta vers elle.

– Peut-être vaudrait-il mieux que vous nous laissiez seuls. J'aimerais étudier leur comportement en dehors de votre présence.

– Aucune objection, dit Westwood, mais je vous préviens, la plupart de ces hommes ont perdu toute éducation.

– Justement, répondit Clara en souriant. Le respect qu'ils vous portent leur enlèverait tout naturel.

Westwood regagna son bureau en sifflotant. Collins et les deux femmes se retrouvèrent dans le foyer.

– Garde à vous! cria un marine.

Plusieurs rires lui répondirent. Clara avança, abandonnant ses deux compagnons sur le seuil. Certains vétérans se tenaient accoudés au bar et l'observaient avec morgue. La plupart étaient attablés. Elle nota leurs jeans douteux et leurs vieux blousons. Certains d'entre eux arboraient une vraie dégaine de clochard, avec leur barbe d'une semaine, leur couperose et leurs godillots sans lacets ouverts jusqu'aux chevilles. Clara frissonna. Qu'ils tentent de préserver leur apparence – rares étaient cependant les tenues impeccables – ou qu'ils se laissent aller, tous ces hommes avaient l'air désespéré.

Résolument, elle s'avança au centre de la salle. Les anciens marines, comme par jeu, l'encerclèrent aussitôt.

– Je suis le docteur Zellmeyer, dit-elle. La responsable du programme scientifique pour lequel nous avons besoin de volontaires.

Les hommes formaient une muraille derrière laquelle Clara disparaissait totalement. Elle ne voyait plus Meryl, ni Collins, ni même le mur opposé. Mais elle ne ressentait aucune hostilité dans leur attitude.

– Hé, miss, je vous reconnais. Je vous ai vue en photo dans le dernier *Penthouse,* plaisanta un marine.

Plusieurs rires accueillirent sa remarque.

– Si je posais dans *Penthouse,* répondit-elle d'une voix assurée, je gagnerais assez d'argent pour ne pas perdre mon temps entre mes seringues et des petits marrants comme vous.

Elle avait lâché sa réplique sans animosité, un sourire désarmant aux lèvres, et elle conclut par un clin d'œil amusé.

Sifflements. Applaudissements discrets. Sa réaction plaisait. Seuls à ne pas avoir quitté leur place, Don Pfeiffer et Guido Rambaldi l'observaient avec intérêt. Elle enchaîna :

– Vous savez pourquoi nous sommes venus...

Un rouquin au visage étrangement juvénile sortit du groupe et se campa devant elle.

– Le général Westwood nous en a parlé. Vous payez vraiment mille dollars?

– C'est exact, répondit Clara. Mille dollars par jour. Ceux que ça intéresse peuvent venir au labo demain pour les tests.

Des murmures désapprobateurs s'élevèrent du groupe.

– Je ne vais pas me taper vingt bornes en bus et en métro juste pour un check-up, grogna un homme au premier rang.

Le cercle se resserra. Quelques remarques à peine courtoises furent adressées à Clara qui conserva son calme.

– O.K., décida-t-elle. Cinq cents dollars à ceux qui viendront. Ça vous va?

L'atmosphère se dégela franchement. Dans son coin, Don Pfeiffer ne put s'empêcher d'éprouver une certaine estime pour la jeune femme. Il appréciait son courage et sa rapidité de décision.

Le rouquin se tourna vers ses compagnons.

– Elle sait parler aux hommes, pas vrai?

Le Noir au treillis ajouta :

– Si elle baise aussi bien qu'elle cause, sûr que je vais venir.

Le regard de Clara se durcit. Elle avait joué la carte de la compréhension et de la sympathie, c'était le moment d'assurer son autorité.

– Maintenant, écoutez-moi bien. (Son ton devint dur, professionnel.) Dans l'armée vous aviez vos règles, au laboratoire nous avons les nôtres. Les expériences se déroulent dans le calme et la discipline. Vous ne courrez pas de risque. Pour certains ce sera même agréable. Mais ceux qui seront choisis et qui accepteront devront obéir. Sinon... la porte!

La bonne moitié de ces anciens combattants la regardaient sans comprendre, figés dans un cauchemar éveillé dont ils ne sortiraient peut-être jamais.

Clara comprit ce que Bauer avait voulu dire en parlant de « sujets de premier choix » – encore qu'elle haïsse l'expression. Les vétérans avaient appris à cohabiter avec la mort. Ils avaient perdu définitivement les valeurs sécurisantes d'une société qui les rejetait.

Le ferme avertissement de Clara ne souleva aucune protestation. Elle crut même discerner une forme de respect dans l'expression des hommes qui l'entouraient. Le rouquin rompit le silence le premier :

– O.K., docteur! Demain on sera tous là.

Don Pfeiffer attendit que les trois représentants du laboratoire aient quitté le mess pour se retourner vers Guido Rambaldi. Il lui demanda :

– Vous avez l'intention d'y aller?

PIEDRAS NEGRAS – GUATEMALA, LE 12 JANVIER

Ils étaient plus de deux cents. Non loin des Altos Cuchumantes, ces plateaux aux terres tempérées culminant à près de quatre mille mètres. Le site se perdait aux confins du Mexique, en plein cœur de la vallée du rio Usumancita. Là, Oram avait dressé le camp de ses élus. L'accès en était presque impossible. Il leur avait fallu près de cinq jours pour descendre le fleuve depuis Sayaxché. Leur cycle de méditation durerait quatre semaines.

Ce jour-là, perché sur son pinacle rustique construit en forme de pyramide, Oram ne guettait pourtant aucun signe du ciel. Indifférents aux brûlures du soleil dont les rayons frappaient leurs fronts et leurs bustes dénudés, une trentaine de filles et de garçons l'entouraient, assis au pied de l'édifice, vêtus d'un simple pagne, jambes croisées et doigts joints en une étrange prière. Oram observa son ombre réduite à une virgule sur le rocher.

Il devait être midi et demi, une heure tout au plus.

Soudain, un bourdonnement se fit entendre, atténué par le souffle du vent. Il plissa les paupières et scruta le ciel. Un point minuscule se détachait à la lisière de la masse nuageuse, au-dessus des volcans. Le point grossit tandis que le bruit s'amplifiait.

Oram frappa dans ses mains.

– Reposez-vous, mes enfants. Rejoignez vos frères et vos sœurs dans les cases.

Les adolescents se levèrent en silence et s'éloignèrent. Oram descendit les marches de son piédestal. Quelques secondes plus tard, l'hélicoptère se posait tout près de la rive du fleuve.

Franck Bauer en descendit et jura :

– Sept heures d'avion et trois heures d'hélicoptère pour se retrouver dans ce coin paumé. Chaque fois je traverse la moitié de la planète pour vous rencontrer!

Le sifflement des rotors s'interrompit. Le pilote demeura à bord. Bauer transpirait déjà à grosses gouttes.

– Comment faites-vous pour résister à cette chaleur? maugréa-t-il. Vous ne suez même pas.

– Question de contrôle, répondit le prêtre. Allons à l'ombre.

Ils empruntèrent un chemin tortueux s'enfonçant dans la forêt. Les arbres formaient une coupole protectrice traversée de rayons lumineux, dans une atmosphère sereine de monde en création.

– Attention, prévint Oram. Le coin est infesté de serpents.

– Dommage que vous soyez végétariens, ricana Bauer en haletant.

Ils poursuivirent leur marche pendant quelques minutes et arrivèrent à une clairière. Des dizaines de troncs d'arbres abattus en délimitaient les contours. Quelques hommes vêtus d'un pagne et d'une paire de sandales s'affairaient autour d'une grande tente, consolidant les tendeurs, enfonçant des piquets. Des adolescentes, le buste nu doré par le soleil, tressaient des lianes qu'elles piquaient de fleurs avant d'en décorer les pans de toile de l'abri. Un peu plus loin, devant les cases de bambou et de terre séchée, d'autres disciples s'étaient réunis en cercle, selon le rite, et discutaient gaiement. Leur rire clair et insouciant parvenait jusqu'aux deux hommes.

A l'abri du monde civilisé, dans cette clairière qu'ils venaient de conquérir sur la forêt, les élus ressemblaient à une tribu de sauvages heureux. Ils étaient, selon Oram, en communion avec les forces de l'univers tout entier. Rien dans leur regard n'exprimait la moindre crainte.

Une âcre odeur de marijuana se mêlait aux senteurs d'humus et au parfum des fleurs tropicales. Une litanie aux accents simples s'éleva soudain. Bauer, malgré lui, n'était pas insensible au charme du tableau quasi biblique auquel il assistait. Oram sourit et d'un ample geste de la main invita les disciples à leur laisser le passage. Une jeune fille se précipita sur la tente pour en écarter l'ouverture. L'abri était suffisamment haut pour que les deux hommes s'y tiennent debout.

Comme dans la bulle où Bauer l'avait rencontré pour la première fois, des cristaux colorés étaient disposés sur le sol de terre battue, en figures géométriques au mystérieux symbolisme.

– Vous pourrez passer la nuit dans cette tente, proposa Oram. Pour ma part, je dormirai dans une des cases avec les miens.

– Pas question! répondit Bauer en se laissant tomber sur un coussin. J'ai fait tout ce chemin pour conclure notre accord. Mon hélicoptère m'attend. Demain je dois présider un conseil d'administration!

Il ne précisa pas que ce conseil était la cause de sa visite. Les principaux actionnaires, regroupés en une véritable conjuration, avaient avancé cette réunion initialement prévue fin février. Dès demain, Bauer avait besoin de quelque chose de concret à jeter en pâture aux rapaces qui l'avaient élu au poste de président. Il retrouva sa pugnacité.

– Nous devons faire vite. Si je vous garantis l'exclusivité de la Substance B pendant un an, il me faut autre chose que l'accord oral que nous avons conclu à Beverly Hills. Cette drogue est d'une telle pureté qu'elle devrait vous amener à régner sur la plus grande congrégation religieuse du monde. Substance B! Substance du bonheur. Et croyez-moi, son effet dépasse tout ce que vous pouvez imaginer!

Oram acquiesça d'un hochement de tête.

Bauer fut impressionné par la sérénité de cet homme. Son attitude était celle d'un prince oriental recevant un hôte de marque alors que quinze ans plus tôt il était recherché par le F.B.I.

Bauer enchaîna :

– Chez nous, tout est réglé. Le contrat entre la Morgan et le docteur Zellmeyer est signé depuis deux semaines.

Apparemment le ton de bateleur de Bauer n'impressionnait pas Oram.

– Vous ne seriez pas venu jusqu'à moi si vous n'étiez pas sûr de me livrer selon les termes de notre accord.

Il souleva un coussin, en sortit une enveloppe de plastique noire et la jeta sur les genoux de Bauer.

– Tout est là, annonça-t-il d'un ton égal. Le nom de la société panaméenne chargée de notre transaction ainsi que le contrat rédigé par mes avocats. J'y ai fait ajouter une clause de confidentialité que vous aurez souci, je pense, de respecter. Je vous suggère de lire attentivement le paragraphe concernant les dommages et intérêts que me devrait la Morgan Chemical, même si je n'étais pas en état de les réclamer, pour le cas où la marchandise ne correspondrait pas à vos promesses.

– La Substance est au point, affirma Bauer. Les dernières recherches dureront environ six mois.

Oram, tout en conservant son impassibilité, manifesta son désaccord.

– Je ne peux pas attendre. Puisque votre drogue est au point, livrez-moi.

– Pas avant que les premiers cent millions de dollars ne m'aient été versés! gronda Bauer. Et ce n'est certainement pas de ce coin perdu que vous pourrez donner des ordres à votre banque.

Oram souleva le pan de toile et observa longuement le bruissement des feuilles, comme s'il cherchait quelque inspiration.

– Je serai de retour aux Etats-Unis le 28 février. Si ce jour-là vous êtes capable de me livrer dix mille échantillons, la somme vous sera versée le jour même. Par télex.

MANHATTAN, LE 13 JANVIER

Le conseil d'administration durait depuis bientôt deux heures et Franck Bauer n'était pas intervenu une seule fois.

Les comptes de la Morgan Chemical avaient été passés au crible. L'air morose des vingt membres du conseil en disait long sur leur déception. Pour la troisième année consécutive, les pertes de la Morgan dépassaient les chiffres les plus pessimistes. Or, depuis sa création en 1927, la société dégageait dans l'industrie pharmaceutique le taux de profit le plus élevé par rapport à son chiffre d'affaires. D'autant plus méritoire que Bauer majorait chaque année le pourcentage du chiffre d'affaires destiné à la recherche et que les salaires des employés du groupe étaient sensiblement supérieurs à ceux des autres firmes.

– L'audit confirmera que nous entrons dans la phase de reconstitution des réserves, assura le directeur financier. A l'assemblée générale d'avril, nous aurons de sérieux motifs de satisfaction.

– Et nous saurons alors si nous avons perdu quatre-vingts ou seulement soixante-quinze millions de dollars, railla le vieil Arthur Jefferson, porteur de dix-sept pour cent des parts.

Jennie Baumgartner, mandatée par l'ensemble des petits actionnaires, se tourna vers Franck Bauer.

– Vous ne dites rien, Franck. Que se passe-t-il? On dirait que vous n'avez pas dormi depuis une semaine.

– A trois jours près, vous êtes dans le vrai, répondit le président de la Morgan.

Arthur Jefferson pointa un doigt menaçant sur Bauer.

– C'est la troisième année, Franck! Dix-huit produits nouveaux devaient être lancés sur le marché, vous nous l'aviez promis. Ces huit dernières années de recherche nous ont coûté trois milliards six cents millions de dollars dont trente pour cent restent à amortir! Et pour quel résultat? Un désinfectant pour lentilles de contact largement dépassé par Bosch et Lomb, deux dérivés corticoïdes destinés aux hôpitaux, trois ou quatre O.T.C. qui n'ont rien de révolutionnaire et un procès colossal sur le dos à la suite des conneries de Jimmy Collins, votre protégé! Vous êtes payé par la concurrence ou quoi?

Bauer ne parut pas embarrassé le moins du monde. Il s'était préparé à ce conseil houleux. Son avenir était en jeu à chaque mauvais bilan mais il parviendrait bien, cette fois encore, à se faire voter la confiance, à coups de charme et de promesses politiciennes.

Entré à la Morgan Chemical comme simple représentant, il en était devenu le président en moins de vingt ans. Le magazine *Fortune* lui avait consacré sa Une à deux reprises et l'avait surnommé le « Wonder Boy », comme Elvis. Mais les actionnaires avaient la mémoire courte. Un bilan négatif conduit toujours à l'amnésie. Jusqu'à présent, la politique de Bauer avait payé. Privilégier la recherche et l'innovation.

A l'époque il était plus facile d'obtenir les autorisations, les administrations était moins tatillonnes. Mais depuis la fin des années soixante, la Food and Drug Administration était moins facile à manœuvrer. Trop de politiciens de tous bords avaient tenté de l'utiliser à des fins électorales en la combattant ou en la flattant. Le chemin à parcourir pour obtenir l'autorisation de commercialisation d'une nouvelle substance ressemblait fort à un labyrinthe infernal. Certains dossiers comportaient plus de trente mille feuillets et pesaient jusqu'à cent vingt kilos! Aujourd'hui, même l'aspirine obtiendrait difficilement son autorisation de mise sur le marché. Aucun des membres présents à cette assemblée ne l'ignorait. Mais la Morgan était en danger et des têtes allaient tomber. Celle de Bauer était toute désignée.

Toute trace de fatigue évanouie, le président de la Morgan s'apprêta au combat.

– Ma demande de démission ne peut être débattue qu'au cours d'une assemblée extraordinaire. Ça n'est pas le cas aujourd'hui, mon cher Jefferson. Mais avant même d'entamer une telle procédure...

Il parcourut les visages fermés dont tous les regards étaient tournés vers lui.

– ... permettez-moi de vous faire part de mes raisons d'espérer!

Jefferson soupira. Jennie Baumgartner, assise à sa droite, agacée, mordillait son crayon. La voix de Bauer, forte et assurée, emplit la salle du conseil.

– Pendant dix-sept assemblées vous m'avez félicité, congratulé, applaudi et conforté à ma place de leader. Vous aviez raison, nos résultats étaient les meilleurs. Depuis trois ans j'ai peut-être fait courir trop de chevaux à la fois, mais certains sont près de la ligne d'arrivée. Et que se passe-t-il aux Etats-Unis chez nos concurrents? Deux des géants ont obtenu l'autorisation d'augmenter leur capital en faisant appel à l'épargne publique.

Il se leva et, frappant sur la table, poursuivit :

– Ils perdent ainsi leur indépendance. Même si nous sommes endettés, nous avons pu jusqu'à ce jour gérer notre compagnie avec nos actifs et nos réserves. En Europe, les groupes importants ont dû se résoudre à fusionner pour survivre.

Il regardait ironiquement chacun des membres du conseil d'administration que cette alternative n'arrangeait sûrement pas. Si les trois géants américains fusionnaient, ils avaient une chance sur trois de conserver leurs privilèges.

Jefferson était particulièrement visé. Il réagit avec hargne :

– L'appel à l'épargne publique et les fusions peuvent être le résultat d'une mauvaise conjoncture générale. Dans ce cas, il n'y a rien à faire. Mais la mauvaise gestion est impardonnable.

– Expliquez-vous, tonna Bauer.

– C'est à vous de vous expliquer. Vous venez d'investir deux cents millions de dollars pour partager les droits d'une nouvelle substance dont l'espérance de succès est loin d'aboutir.

De longs murmures désapprobateurs parcoururent la salle du conseil. Les actionnaires se consultaient, hochaient la tête et fixaient Bauer de nouveau. Le moment était venu!

– Parlons-en, de cette nouvelle substance! clama Bauer. Je ne vais pas tenter de vous convaincre de sa qualité exceptionnelle. Avant trois ans, elle révolutionnera sans aucun doute l'industrie pharmaceutique.

– C'est maintenant qu'il nous faut des résultats, réclama Joe Jackson, Texan au visage rougeaud.

– Vous les aurez! Vous les avez déjà!

Bauer ponctua cette déclaration en frappant la

table de ses deux poings. Mais Jackson était furieux de ne pas toucher de dividendes sur son substantiel paquet d'actions depuis trois années consécutives.

– On ne se contentera pas de promesse, cette fois-ci!

Alors Bauer sourit. Et ses dents étincelantes semblèrent prêtes à mordre quiconque oserait l'interrompre. Son long silence les avait agacés. Sa première intervention, par sa prétention, les avait mis hors d'eux. Ils étaient mûrs. Il hurla pour couvrir le concert de voix qui s'enflait.

– Nous sommes à la tête d'une grosse recette dès à présent. Quatre cents millions de dollars de minimum garanti. Une commande de la Substance avant même l'agrément de la F.D.A. Quatre cents millions cash, auxquels s'ajoutent les subsides accordés par le département d'Etat et le Pentagone, à charge pour nous d'aider les anciens du Viêt-nam à s'en sortir.

Mais Jackson ne désarmait pas :

– Vous avez dû recevoir une aumône plutôt qu'un financement.

Bauer éclata de rire, puis baissa la voix, ayant l'air de s'adresser tout particulièrement à son contradicteur en obtenant, par ce malicieux procédé, une attention accrue de l'assemblée tout entière.

– Vous avez trouvé le mot juste, Jackson. Une aumône de deux cents millions de dollars.

Un silence respectueux suivit cette dernière réplique. Bauer reprit, olympien :

– Six cents millions de dollars en tout!... Trois ans avant la commercialisation d'une découverte, je le répète, aussi importante que la pénicilline et les benzodiazépines!

Jennie Baumgartner voulait des précisions.

– Vous prétendez diffuser un produit en cours d'expérimentation sans l'agrément de la F.D.A.?

– Exactement, répondit Bauer. Mais selon une procédure qui n'enfreint aucune loi. Les quatre cents

millions de dollars proviennent d'un groupe privé qui nous dégage des responsabilités d'usage.
– Puis-je vous demander le nom de ce groupe? demanda Jennie, soudain plus aimable.
– Impossible. L'accord que j'ai passé stipule formellement une clause d'anonymat. Mais rassurez-vous, leur réseau de diffusion ne fait aucune concurrence au nôtre.
– Qui nous garantit la moralité de ce groupe mystérieux? demanda Jefferson, d'une voix à peine audible.
Franck Bauer fixa son vieil adversaire. Jefferson baissa la tête. A ce moment précis, le président de la Morgan eut la conviction qu'il resterait en place pour une année encore.
– Depuis quand quatre cents millions de dollars ont-ils une odeur pour vous, Jefferson? assena Franck Bauer.
Jennie Baumgartner leva la main.
– Quelqu'un veut-il proposer la réunion du conseil extraordinaire?
Silence.
– Dans ce cas, déclara Bauer, les questions à l'ordre du jour ayant été évoquées, je déclare cette assemblée clôturée!

HOBOKEN, LE 15 JANVIER

Son dossier indiquait qu'il avait trente-sept ans, qu'il habitait à l'extrémité est de la 14e Rue, quartier calme mais pauvre, qu'il avait été blessé à Khe San et qu'il exerçait une activité régulière depuis près de deux ans.
Le reste n'était que détails techniques.
Clara fronça les sourcils en découvrant que

l'homme avait subi une analyse. Elle nota, à tout hasard, les coordonnées du praticien sur son carnet. Ayant achevé la lecture du dossier, elle pressa le bouton de l'interphone et annonça :

– Faites entrer M. Rambaldi.

La sélection des candidats avait été plus ardue que Clara ne se l'était imaginé. En accord avec Meryl, elles avaient codifié l'examen des vétérans et affiné leur approche. Tout d'abord elles avaient établi trois tranches d'âge, de trente-cinq à quarante ans, de quarante à cinquante ans et, enfin, les cinquante ans et plus, certains officiers ayant dépassé la soixantaine. L'environnement social et familial constituait le second critère. Enfin, une rapide analyse graphologique avait permis d'établir le potentiel agressif de chaque homme.

Depuis le début de la journée, Clara avait reçu seize vétérans. Elle tenait particulièrement à cette première prise de contact et avait exigé d'être seule à chaque entrevue. Elle n'en avait retenu que neuf malgré l'avis favorable noté en marge des seize dossiers par Meryl.

Le premier mois, une quantité infinitésimale de Substance B serait inoculée deux fois par semaine à chaque sujet. Seul serait étudié le comportement de leur organisme en présence de la molécule. L'étude des effets thérapeutiques viendrait plus tard. La demi-vie du médicament, c'est-à-dire le temps qu'il lui faut pour que sa concentration dans l'organisme soit réduite de moitié, était estimée à sept heures. En les gardant sous contrôle pendant quarante-huit heures, Clara était sûre que leur organisme ne conserverait aucune trace de la Substance en quittant l'hôpital.

C'était une méthode d'observation classique, à la seule différence que cette phase durait habituellement plus d'un an.

Et Clara ne disposait que d'un mois!

La porte s'ouvrit sur un homme solidement bâti, vêtu d'un blouson de cuir fauve, d'un pantalon de flanelle grise et d'une paire de boots. Brun, le visage dur, il avait des lèvres larges et épaisses qui lui conféraient un air sensuel presque bestial. Il traversa le bureau d'une démarche assurée et, sans attendre l'invitation de Clara, choisit le fauteuil qui lui faisait face.

– Vous êtes monsieur Guido Rambaldi?

L'homme acquiesça. Contrairement à ceux qui l'avaient précédé, Guido Rambaldi était rasé de frais, avait les ongles propres et portait des vêtements repassés. Masquant son étonnement, Clara tenta de sonder son regard. Une question lui brûlait les lèvres : « Pourquoi se porte-t-il volontaire? Il ne semble pas à l'affût de quelques dollars. » Elle le trouvait beau et se sentait troublée par sa présence. Rambaldi la dévisageait, impassible. Il avait l'attitude réservée mais imperceptiblement tendue d'un demandeur d'emploi subissant un entretien professionnel.

Clara lui tendit un formulaire.

– On a oublié de vous le faire remplir. Il doit être manuscrit.

Elle tenta un sourire qu'elle jugea un peu contraint.

– Si c'est d'une analyse graphologique dont vous avez besoin, vous en trouverez deux là-dedans.

Il pointa son index sur le dossier que Clara tenait ouvert entre ses mains.

– L'une date de 1979, l'autre de 1982. Je ne crois pas avoir changé depuis.

Elle réussit à sourire franchement.

– On peut changer en quatre ans. Et la science est parfois tatillonne.

Sans répondre, l'ancien marine se cala à nouveau dans son fauteuil. Pourtant aucune insolence, aucune agressivité n'émanaient de ce mutisme. Il semblait attendre.

Clara ne se formalisa pas et continua :

– Vous avez commencé une analyse. Deux ans et...

– D'où venez-vous?

En lui coupant la parole, Rambaldi cherchait son regard, guettant le moindre de ses gestes.

Clara comprit soudain d'où venait son trouble : Rambaldi ne cessait de la déshabiller des yeux.

– Pardon?

– Vous avez un accent. Allemand ou français. Vous n'êtes pas Américaine. D'où venez-vous?

– Je suis Française. Cela fait-il une différence pour vous?

Elle s'en voulut aussitôt de cette question. Elle était censée mener l'entretien, mais Rambaldi semblait jouer du malaise qu'il avait fait naître en elle. Clara décida d'adopter une autre approche. Elle referma le dossier, s'enfonça dans son siège et les doigts joints à hauteur du menton, elle prit l'attitude du médecin écoutant un patient.

– Puis-je vous poser une question, monsieur Rambaldi?

– Allez-y.

– Pourquoi vous êtes-vous porté volontaire pour ce programme? Vous êtes gérant d'une blanchisserie dans la 42e Rue. Bonne recette. Votre démarche n'est donc pas d'ordre financier.

Clara avait vu juste. Il fallait lui parler sans détour pour établir le dialogue.

Rambaldi plongea sa main dans son blouson et en sortit un paquet de Camel sans filtre. Il plaça une cigarette entre ses lèvres, extirpa un briquet Zippo d'une autre poche.

– Tout est marqué dans mon dossier, dit-il en allumant sa cigarette. Dix-huit mois au Viêt-nam comme appelé, un stage de pilotage et puis je me suis engagé. Pilote d'hélicoptère quatre ans. Une blessure, quelques mois d'hôpital, le grade de lieutenant et la *purple heart*. Ensuite ma démobilisation, peu avant la défaite. Aucune compagnie privée n'a jamais voulu de moi comme pilote. Ils pensaient que j'étais fou ou pas très clean pour avoir survécu. Et une dizaine de métiers différents. Ce que je gagnais me permettait tout juste de payer mon psychanalyste.

– Pourquoi voulez-vous subir notre traitement?

De tous les hommes qu'elle avait vus, Rambaldi semblait pour l'instant le plus équilibré. Aucun autre n'avait dépensé le moindre *cent* en dehors du programme de santé financé par l'armée.

Rambaldi éluda la question. Il chercha un cendrier et finit par laisser tomber la cendre dans le creux de sa main.

– Jamais marié... Le nombre de mes maîtresses ne figure pas dans ce rapport et c'est dommage. (Il fit semblant de rire.) Enfin, près de six ans après mon retour, j'ai trouvé la stabilité. Dans une blanchisserie tenue par un adorable couple de Vietnamiens et fréquentée uniquement par des gens de couleur. Je me dis qu'un jour j'aurai peut-être suffisamment nettoyé de chemises et de slips pour avoir les moyens de m'offrir un avion. Un petit, même à quatre sièges. Et j'emmènerai les touristes de passage à New York en visite au-dessus des chutes du Niagara.

Clara décida de ne pas l'interrompre. Rambaldi s'exprimait sur un ton ironique comme s'il se moquait de sa propre destinée. D'une voix hachée, il poursuivit :

– J'ai dû être un homme comme les autres. Le parfum d'une fleur, l'arrivée du printemps, la satisfaction d'une tâche accomplie me satisfaisaient. Et puis ils m'ont appris que le printemps annonçait la pluie, que cette pluie transformait les plaines en marécages et que bien faire consistait à traverser ces marécages, de la boue jusqu'au ventre, des sangsues collées au corps. Et que, surtout, une fleur n'est utile qu'écrasée, lorsqu'elle peut dénoncer le passage d'une troupe ennemie...

Clara nota la naïveté poétique de son langage. Rambaldi tentait de lui faire comprendre quelque chose qu'il ne parvenait pas à s'expliquer lui-même. Son visage s'animait et ses yeux avaient perdu toute expression de défi.

– Qu'attendez-vous de nous? finit-elle par demander après un long silence.

– De vous?

Rambaldi retrouva aussitôt sa morgue. Il découvrit ses dents en un sourire féroce.

– Que voulez-vous que j'attende?... Que vous me considériez comme un animal curieux, que vous portiez sur moi un regard compatissant et peut-être reconnaissant. Que vous testiez vos nouveaux produits jusqu'à ce que mon corps crie merci et que, peut-être, je cesse de parler dans mes cauchemars.

Il eut conscience de s'être laissé emporter.

– Vous êtes Française, vous ne pouvez pas comprendre. Qu'est-ce qu'on ressent à vingt ans, quand on vous envoie défendre le monde libre et qu'on se retrouve devant un peuple prêt à mourir pour défendre son pays? Qu'est-ce qu'on ressent à vingt ans après avoir brûlé un village en retrouvant des corps carbonisés de femmes et d'enfants? Bien sûr, vivants, ils n'auraient pas hésité à nous tuer mais on n'a pas bonne conscience dans la peau d'un tueur. Alors on se soûle, on se drogue. On est quelques centaines à avoir payé cher pour des millions d'autres qui maintenant nous crachent à la gueule. Cette guerre a fait de nous des drogués! Pas parce qu'on se tapait une petite ligne ou un pétard avant de monter au front, mais simplement parce que la peur, et la période de soulagement qui lui succède deviennent une drogue. On se défonçait à la trouille!

Pendant ce court récit, la voix de Guido Rambaldi se brisait parfois. L'authenticité et l'émotion qu'il dégageait envahirent Clara. Il reprit :

– Je sais que vous avez découvert une sorte de Valium amélioré.

– Et vous souhaitez l'essayer?

Rambaldi brandit son mégot dont le bout incandescent commençait à lui brûler les doigts. Clara s'empressa d'ouvrir le tiroir dans lequel elle enfermait son cendrier pour s'éviter la tentation de fumer.

– Pardonnez-moi! Je n'ai pas fait attention.

Rambaldi attendit qu'elle poussât vers lui le petit objet de marbre, vida sa main et alluma une seconde cigarette.

– Ouais, grogna-t-il. J'ai envie d'essayer sur moi.

Il pointa son doigt sur Clara.

– Mais ne tirez pas des conclusions hâtives. D'accord, je pense aux copains. Mais si votre produit miracle fonctionne, autant que je sois parmi les premiers à en profiter.

Clara hésita, puis se décida. Le manège de Rambaldi avec la cigarette avait fini par la tenter. Elle puisa une Marlboro dans son sac et l'alluma sans attendre son aide. La sensation de trouble sexuel qu'avait fait naître la présence de Guido Rambaldi s'atténua. Le discours de Guido était convenu, voire banal. Dans n'importe quel journal, elle l'aurait trouvé usé jusqu'à la trame. Mais Guido lui avait restitué son authenticité. Clara jugea son changement d'humeur trop radical pour ne pas être suspect. Il fallait oublier la femme en elle et privilégier la scientifique. Après tout, si deux ans de divan n'avaient rien donné, pourquoi cet homme se confierait-il à une inconnue dès la première entrevue? Par un mystérieux cheminement, Guido Rambaldi avait dû se livrer à la même analyse, puisqu'il passa du général au personnel sans qu'elle eût à formuler la moindre question.

– Après avoir tout essayé, je devrais contrôler un peu, mais de temps en temps, je plonge. Trois Valium 1000 plus une bouteille de J&B et un bon gramme de coke. Pure comme celle de Freud. (Il eut un pauvre sourire.) Bonne défonce. Et le lendemain dans votre tête, c'est à la fois le marteau et l'enclume.

Il reposa brutalement le cendrier, ferma les yeux et se cogna le front de ses deux poings fermés, la bouche déformée par une grimace de souffrance.

– Physiquement je suis clean. Quatre-vingts kilos de muscles. Je peux courir dix miles sans m'essouffler. Je crois parfois que toutes les brèches sont colmatées. Je suis tranquille, seul en train d'aligner des chiffres ou de regarder la télévision et tout à coup, comme une possession, les images d'horreur déferlent à nouveau.

Puis son attitude changea de nouveau, il reprit son air ironique et s'adossa confortablement à son siège.

– Dommage que vous soyez une femme-tronc. Je suis sûr que vous avez de jolies jambes.

Clara s'amusa de cette faculté presque schizoïde de changer d'attitude. Sans avoir connu l'enfer du Viêtnam, bien des hommes manquaient de cohérence. Elle demanda :

– Avez-vous le sentiment que certaines boissons ou certaines drogues favorisent ces crises?

– Ça vous gêne que je vous parle de vos jambes? Elles sont peut-être pas terribles. Tant que je ne les ai pas vues, je ne peux qu'imaginer. C'est fou ce qu'on peut faire avec l'imagination. Vous aimez le cinéma? Quand j'étais gosse, j'adorais les films de guerre. Les types mouraient dignement sur fond d'orchestre à cordes. C'est facile de s'imaginer dans la peau d'un héros. Quoi qu'ils fassent sur l'écran, c'est propre et sans odeur. Vous voulez que je vous parle de mes images? Parce que même le technicolor et le cinémascope ne sont jamais parvenus à rendre la réalité d'un champ de bataille. Surtout quand l'ennemi est la nature tout entière, avec ses senteurs d'humus, ses relents douceâtres de corps en décomposition, ses cris que nul n'a jamais su reproduire, juste avant que la vie s'évanouisse à jamais. Et c'est alors que s'élèvent les rires dont vous ne savez s'ils appartiennent aux « charlies » planqués derrière les amas de lianes ou aux oiseaux qui se foutent de votre gueule...

Discrètement, Clara consulta sa montre. Ils étaient ensemble depuis vingt minutes déjà. Ce geste n'échappa pas au lieutenant Rambaldi.

– Merci, ajouta-t-il en lui souriant. J'ai eu cinq minutes de plus mais je vais rester encore cinq minutes. Pour compléter mon dossier. Vous croyez que je cherche à ne plus me souvenir? Que le Viêt-nam nous a rendus dingues? C'est faux. Cette vie me manque. Elle nous manque à tous. Nous n'avions aucune règle, aucune loi. La vie était devenue le jeu ultime, le plus excitant. Tuer ou survivre. Que faites-vous d'autre dans nos petites cités, New York, Paris ou Anchorage? Vous survivez. Vous survivez au cancer, aux accidents de voiture, à l'ennui et à la violence. Mais les émotions que ces événements suscitent, vous les vivez par procuration. Vous vivez comme on regarde un film alors que nous, nous *étions* le film. Et comme dans cette histoire-là on a paumé, vous nous rejetez. C'est pas le « Happy End » que vous souhaitiez. Comment empêcher votre rejet, votre mépris?

Le visage de Guido Rambaldi s'était durci, lui restituant un instant le faciès implacable du guerrier. Elle le comprenait bien plus qu'il ne pouvait l'imaginer et ne pouvait s'empêcher d'admirer la volonté de cet homme qui s'accrochait à la vie et continuait de mener quotidiennement le plus dur des combats : une lutte contre lui-même. Il était temps de clore l'entretien.

Rambaldi, autant qu'elle pouvait en juger, était un sujet parfait. Suffisamment équilibré pour ne pas risquer de fausser l'expérience par des crises incontrôlables, assez tourmenté pour que les effets de la Substance B se fassent sentir rapidement. Assez intelligent pour décrire ses propres sensations et participer activement à la recherche thérapeutique.

Et puis cet homme lui plaisait.

– Nous acceptons votre candidature, lui dit la chercheuse. Vous pourrez vous libérer?

Il répondit :

– Autant que vous le souhaitez. Mes deux jaunes d'œuf se débrouillent très bien sans moi à la boutique. Et ils me volent rarement plus de vingt dollars à la fois. Je vous fais confiance, mademoiselle Zellmeyer. J'avais pas tellement envie de jouer aux cobayes mais je commence à m'emmerder au milieu de mon linge sale. Vous serez la première scientifique que je laisserai attenter à l'intégrité de mon corps...

Il lui lança un clin d'œil sans équivoque.

– Enfin, vous voyez ce que je veux dire!

Clara le raccompagna jusqu'à la porte de son bureau, ce qu'elle n'avait fait pour aucun des vétérans. Elle ne se défendait pas d'un élan pour cet inconnu. Pourquoi toujours attendre que l'autre fasse le premier pas? Après avoir salué Clara et noté son prochain rendez-vous, Guido Rambaldi s'apprêta à quitter le bureau.

Clara lui demanda alors :

– Comment les trouvez-vous?

A l'interrogation muette du lieutenant, elle précisa :

– Mes jambes!

NEW YORK, LE 17 JANVIER

Trois semaines s'étaient écoulées depuis sa prise de fonction lorsque survint le premier des incidents auquel Clara regretta par la suite de ne pas avoir prêté plus d'attention.

Ce matin-là, disposant de quelques heures avant l'arrivée de ses « sujets » d'expérimentation, Clara décida d'effectuer quelques achats. Il était tout de même temps qu'elle fasse connaissance avec New York. Elle avertit Robin de son intention, appela son chauffeur sur sa ligne directe. Le même déclic se produisait chaque fois qu'elle décrochait le téléphone. Elle y accordait peu d'importance. Sûrement une défaillance du système électronique.

Elle se rendit chez Macy's, grand magasin où on trouve « presque tout ». Son chauffeur était un grand Virginien qui s'exprimait avec l'accent traînant du Sud et dont la carrure n'avait rien à envier à celle d'Arnold Schwartzenegger. Clara l'avait surnommé « Tom-Pouce ».

La Cadillac se parqua en double file dans la 7ᵉ Avenue, devant l'entrée latérale du vieil immeuble dont l'architecture rappelait le style suranné de l'Empire State Building.

– On se retrouve dans une demi-heure, dit Clara au chauffeur.

En descendant du véhicule, Clara éprouva une fois de plus une satisfaction mêlée de gêne : les badauds la flattaient de leurs regards – elle ou sa limousine? Sur la vitrine de Macy's, des calicots annonçaient les soldes de janvier. La Morgan lui avait accordé une carte de crédit illimité. Comme n'importe quelle ménagère, la possession de ce rectangle de plastique, accès magique à la caverne d'Ali Baba, incitait Clara à acheter le superflu plus que le nécessaire.

Au rayon lingerie, les sous-vêtements américains étaient aussi séduisants que des soutanes. Elle arriva au rayon parfum. Une jeune animatrice armée d'un micro lui conseilla vivement d'acheter « Pour toujours » moins cher que « Chanel nº 5 » pour un petit quart d'heure encore. Ce que fit Clara. Plus un flacon pour Meryl. Elle emprunta l'escalier. Cette atmosphère enfiévrée et superficielle lui procurait un dépaysement appréciable. La pression diminuait. Elle se sentait bien. Elle visita tous les rayons du premier étage et fit l'acquisition d'une chemise de nuit en soie, de quelques collants et de trois paires de bas fumés. Elle se dirigea vers la caisse.

Elle s'arrêta net, étonnée. Cette carrure, ce visage, cette coupe de cheveux en brosse! Elle était sûre d'avoir reconnu Tom-Pouce, son chauffeur. Mais déjà il disparaissait derrière les rayons de prêt-à-porter.

Clara abandonna ses paquets et se précipita à sa suite. Elle fouilla du regard les larges allées bordées de présentoirs racoleurs. Son chauffeur, si c'était lui, avait disparu. « Après tout, je lui ai donné une demi-heure. Il a le droit de faire ses courses lui aussi. Mais pourquoi dans le rayon femmes? »

L'ascenseur était en panne. Restaient les escaliers. Clara bouscula une vieille dame fardée comme une courtisane, s'excusa, revint sur ses pas, contourna la caisse et se retrouva devant l'escalator. Avant Tom-Pouce. Se retournant sans cesse, le chauffeur avançait sans la voir.

Il faillit buter contre elle.

– Greg, que faites-vous là?

Tout d'abord embarrassé comme un collégien surpris en train de faire le mur, il se ressaisit et répondit :

– J'ai trouvé une place pour me garer juste devant l'entrée.

C'était sans doute vrai, mais Clara eut le sentiment qu'il lui cachait quelque chose.

– Vous avez reçu l'ordre de me suivre, n'est-ce pas?

Le colosse ne parvint pas à dissimuler sa gêne.

– Je suis chargé de votre sécurité, mademoiselle Zellmeyer. M. Bauer ne me pardonnerait jamais s'il vous arrivait quelque chose.

A peine rentrée dans son appartement, elle demanda à parler à Franck Bauer.

– Le Président est en conférence. Il ne peut être dérangé sous aucun prétexte, lui répondit sa secrétaire.

« L'opération porte ouverte est donc terminée », pensa Clara, franchement agacée.

« Si vous ne pouvez me joindre, voyez Collins », lui avait dit Bauer. Elle devait tirer les choses au clair. Il lui restait à se rendre à Hoboken. Ascenseur jusqu'au rez-de-chaussée, ascenseur jusqu'au toit, hélicoptère, atterrissage sur l'aire d'envol du laboratoire...

Sitôt arrivée, elle se mit en quête de Jimmy Collins.

– M. Collins se trouve dans la salle des viviers, l'informa l'huissier du second étage.

Cette section du laboratoire était destinée à l'étude des neuroleptiques naturels. Des viviers avaient été aménagés à température et hygrométrie équatoriales. Des mygales, des veuves noires et des serpents par dizaines y étaient utilisés. L'extrait de leur venin produisait des calmants très efficaces. Une forte dose de ce même venin entraînait une mort lente après d'atroces souffrances. Bien que les arachnides velus et bigarrés fussent les seuls animaux de laboratoire qui lui procuraient un frisson de dégoût, Clara s'y rendit. Un laborantin était en train de les nourrir. Jimmy Collins était planté là, observant les boules hirsutes aux pattes démesurées se jeter sur les restes de souris et autres rongeurs, leur pitance quotidienne. Et il souriait. D'un sourire qu'elle ne put s'empêcher de trouver malsain.

Un cri s'éleva d'une des cages. Clara sursauta. Les araignées pouvaient émettre des sons. Deux mygales s'entre-déchiraient pour quelques viscères de souris. Collins l'aperçut. Il se composa un masque d'impassibilité, bredouilla une vague formule de politesse et lui tourna le dos, prêt à s'éloigner.

– Ne vous sauvez pas, Jimmy. J'ai à vous parler.

– Je vous écoute, répondit Collins à contrecœur.

– Qu'est-ce que c'est que cette histoire ridicule de sécurité? Mon chauffeur ne me lâche pas d'une semelle!

Collins soupira. Il regrettait visiblement qu'elle s'adresse à lui plutôt qu'à Bauer.

– Assurer votre sécurité est important pour nous, mademoiselle Zellmeyer. Comme celle de tous les chercheurs de haut niveau travaillant pour la Morgan.

La peau grêlée de Collins, ses yeux chafouins, sa tête trop petite pour ses larges épaules et son cou de taureau avaient quelque chose de difforme. Clara se sentait oppressée dans cet environnement.

– Vous valez beaucoup d'argent, reprit Collins. Des millions de dollars. Nous ne pouvons courir le risque d'un kidnapping.

– La moindre des choses aurait été de me prévenir, répondit-elle.

Elle salua Collins d'un bref signe de tête et sortit du vivier d'un pas rapide.

– Attention, lui dit Meryl. Jimmy Collins fait partie des intouchables.

Sans témoins, les deux jeunes femmes bavardaient dans le bureau de Clara.

– C'est le beau-frère de Bauer. Il devait être nommé directeur de la recherche, mais il a eu un problème avec la F.D.A.

– Quel genre de problème?

– Un vrai scandale. La Morgan est parvenue à l'étouffer. Collins expérimentait un nouveau neuroleptique à base d'extraits de venin. C'est sa spécialité. Il avait obtenu l'autorisation de la F.D.A. Mais à moyen terme, certains patients ont présenté des troubles de la mémoire de plus en plus fréquents. Quelques-uns ont même été atteints de troubles psychomoteurs.

– Quelle horreur! Mais en quoi Collins est-il responsable? La F.D.A. avait autorisé le médicament.

– C'est là que ça se corse. Malgré les rapports défavorables qui lui parvenaient de toute part, Collins a attendu six mois avant d'informer la direction générale, c'est-à-dire Bauer. Le dossier s'est purement et simplement volatilisé.

Clara ferma les yeux, scandalisée. Il n'était pas rare que les patrons de laboratoire fassent passer l'intérêt de leur compagnie avant celui des patients. Mais c'était encore plus grave de la part d'un chercheur.

– Collins est viscéralement attaché à la Morgan, conclut Meryl. Il espère succéder un jour à Bauer. A défaut, devenir directeur général, c'est-à-dire numéro deux de la Morgan.

HOBOKEN, LE 28 JANVIER

Ce jour-là, Clara revit Guido pour la seconde fois.

L'expérimentation de la Substance B commençait.

Dans une aile du Morgan Building, des espaces individuels confortablement aménagés étaient séparés les uns des autres par des parois mobiles. Une large baie vitrée permettait d'étudier les patients en leur ménageant un minimum d'intimité. Soixante « chambres » étaient ainsi réparties sur deux étages.

Guido se trouvait dans la première section réservée aux trente-cinq-quarante ans. Dans la dernière division reposaient cinq vétérans plus âgés, dont le doyen, Gerry Milton, frisait allégrement la soixantaine.

Les anciens marines étaient arrivés le matin même. Ils s'étaient prêtés sans rechigner aux premiers tests de routine : prise de sang et d'urine, électrocardiogramme, électro-encéphalogramme, dans une atmosphère calme et sereine égayée par la présence d'un bataillon d'infirmières souriantes. Seule l'absence de téléviseurs avait soulevé quelques protestations : les chaînes nationales diffusaient ce jour-là un match de football opposant les Red Necks de Washington aux Eagles d'Atlanta.

Le veto de Clara avait été formel. Elle s'en expliqua avec Guido :

– La première phase des tests doit se dérouler dans une atmosphère de paix. Dans la phase finale, la Substance vous sera administrée dans votre environnement. Mais ce n'est pas la prison. Vous pouvez aller et venir, bavarder, lire et même jouer aux cartes à condition que les mises soient purement symboliques.

Rambaldi haussa les épaules et lui sourit.

– Faites comme chez vous.

Il était allongé sur son lit, genoux repliés et bras croisés derrière la tête. Même avec ce pyjama bleu uni réservé aux patients, il ressemblait davantage à un clinicien au repos qu'à un malade. En outre, il avait gardé ses rangers!

– En pantoufles moi, jamais!

Les premières injections devaient avoir lieu vers quatorze heures.

Le jeûne imposé faisait aussi partie des récriminations. Surtout de la part du doyen, Gerry Milton.

– Je n'ai pas sauté un seul repas depuis l'âge de quinze ans! Même en pleine jungle je me débrouillais toujours pour piéger un singe ou trouver quelques racines.

– Monsieur Milton, avait répondu Robin qui assistait les sujets, ou vous acceptez nos conditions ou vous rentrez chez vous.

Elle avait ajouté, avec un sourire angélique :

– Dans six heures, je vous promets un festin, vous allez vous régaler.

Milton s'était calmé.

Clara avait tenu à faire une dernière réunion d'information avec les vétérans :

– Aujourd'hui, nous allons vous administrer une très petite dose. Ne vous attendez pas à ressentir le moindre effet. Tout au plus une sensation de bien-être comme après l'amour. Dans les deux jours qui viennent, seuls nous intéressent vos réactions cutanées et les résultats des prochaines prises de sang.

Elle avait conclu sur une note optimiste :

– Un premier rapport de laboratoire me permet déjà de vous rassurer sur un point : nous n'avons décelé aucune présence de L.A.V. parmi vos examens sanguins. En d'autres termes, aucun d'entre vous n'est porteur du virus Sida.

Cette révélation avait déclenché un concert de hourras et de sifflements.

HOBOKEN, LE 3 FÉVRIER

Clara se souviendrait de cette date.

Ce jour-là, Tim Patterson mourut.

Tim supervisait parfois les expériences. Il se chargeait plus particulièrement de disséquer le cerveau des animaux sacrifiés pour comparer leur structure cellulaire avec celle des animaux n'ayant subi aucune altération.

Il profita d'un moment de solitude – tous ses assistants étaient partis – pour vérifier lui-même le comportement d'une dizaine de rats auxquels la Substance B avait été injectée. Le principe était simple : pour être récompensés par un repas, les rats devaient avoir appris, à l'issue d'un long parcours, à mémoriser les méandres d'un labyrinthe. Tant que le calme régnait autour d'eux, ils en retrouvaient aisément la sortie et se jetaient sur le bout de fromage, leur récompense. Pour provoquer l'état de stress, on les nourrissait à un rythme régulier pendant plusieurs jours dans une atmosphère de calme total, puis on les troublait en provoquant des décharges électriques à l'heure des repas. En moins de trois jours de ce conditionnement, les rats perdaient une partie de leur instinct de survie. Ils tournaient comme des âmes en peine dans les couloirs de Plexiglas. A ce stade de l'expérience, une forte dose de Substance B leur était injectée. Aussitôt, les rats retrouvaient leur chemin et leur appétit, prouvant l'efficacité du médicament.

Tim disposait de trois labyrinthes identiques alignés sur une large paillasse. Il s'assit devant une table roulante sur laquelle était posé un micro-ordinateur. Il en alluma l'écran, attira à lui les cuves d'acide encastrées dans les plans métalliques d'une plate-forme à roulettes, plaça les petits cubes de fromage à l'issue de chaque labyrinthe, attrapa par la queue quelques gros rats et les posta devant l'entrée des trois dispositifs. A la fin de leur course, il les écervèlerait et plongerait leurs corps dans l'acide.

– Allez-y, les gars, on fait la course! Le premier arrivé, je le mets dans la cage aux souris.

Trois par trois, les rats avancèrent, reniflant les parois, gambadant jusqu'à la première chicane, s'arrêtant au beau milieu d'un carrefour, le museau frémissant, la queue fouettant le vide. Leur mécanisme mémoriel fonctionnait. La veille, ces mêmes rats étaient restés prostrés de longues minutes devant l'entrée des dispositifs et s'en étaient détournés d'un air las. Tim estima qu'il leur faudrait au moins cinq minutes pour s'orienter, parcourir le labyrinthe et se jeter sur la nourriture.

Il déclencha son chronomètre.

L'expérience se déroulait comme prévu. Il alluma le bec bunsen équipant la paillasse et se prépara aux prélèvements bactériologiques. Il n'avait jamais pu se faire à l'injustice de cette procédure : quel que soit le test, les vainqueurs étaient toujours sacrifiés les premiers.

Un gros rat âgé de trois semaines venait de prendre la tête du peloton dans le premier labyrinthe. Le téléphone sonna. L'appareil était sur le bureau, contre les cages.

Tim eut une moue de contrariété.

– C'est bien, mes petits pères. Avancez. Tonton Tim va répondre. Je ne veux plus voir le morceau de fromage à mon retour!

Il décrocha, reconnut aussitôt la voix de Jimmy Collins et surveilla le labyrinthe tout en bavardant.

– Oui, je suis encore là. Je m'amuse avec mes bestioles. Comme toujours, les rats s'en sortent très bien.

– J'étais inquiet. Un vigile m'avait signalé de la lumière dans la section animalière, expliqua Collins. Combien de temps comptez-vous rester?

– Je ne sais pas, répondit Patterson d'un ton sec. Mais dites-moi, Jimmy, vous êtes flic maintenant!

– Ne plaisantez pas, Patterson. J'ai de bonnes raisons de me faire du souci. Ce laboratoire souffre d'un tel laxisme sur le plan de la protection...

– Vous changerez cela quand vous serez président, se moqua Tim, songeant *in petto* : « D'ici là, j'aurai pris ma retraite. »

Pendant la conversation, il avait un court instant perdu de vue les labyrinthes. Quand il se retourna, son sang se glaça :

– Ne quittez pas, Jimmy, j'ai une merde!

La climatisation subissait des variations fréquentes suivant l'intensité du courant. Un brusque regain d'énergie, dû à l'interruption d'un appareil dans un autre service, provoquait un bref appel d'air.

Cela venait de se produire.

Une feuille posée sur une pile de dossiers s'envola et atterrit sous le bac de stérilisation. Elle s'enflamma et finit sa course au beau milieu du labyrinthe.

Tim se rua sur le début d'incendie, des couinements de terreur s'élevaient du bac en Plexiglas. Le premier réflexe de Patterson fut de saisir la feuille enflammée pour la jeter au sol et la piétiner, mais son regard se fixa à l'intérieur du labyrinthe et se figea.

– Tim, que se passe-t-il?

Dans l'appareil téléphonique, la voix de Collins appelait, trop faible pour qu'il pût l'entendre.

– Tim? Répondez-moi, bon Dieu!

Les rats étaient devenus fous.

Ceux du premier bac qui, quelques instants plus tôt, effectuaient paisiblement leur petit bonhomme de chemin, se jetaient maintenant les uns sur les autres. Deux des rats s'entre-déchiraient. Une mâchoire ensanglantée se refermait sur une échine de fourrure grise. L'intensité des couinements troublait le cerveau du biologiste. Revenu de son court instant de surprise, Tim saisit l'extrémité de la feuille qui continuait à se consumer contre la paroi déjà fondue d'une chicane. Deux yeux ronds et rouges, démoniaques, brillaient comme deux taches de sang.

Tim n'eut pas le temps de réagir.

Le rat bondit soudain, ses forces décuplées par la fureur. Il s'abattit sur sa blouse et s'y agrippa, battant des pattes, cherchant la chair sous le tissu.

Tim hurla.

Le rat n'était plus un cobaye, mais un être diabolique, échappant à tout contrôle. Son contact si près de sa gorge provoqua en lui une peur irraisonnée, panique. Il recula, tentant de faire lâcher prise au rat, mais par l'échancrure de sa blouse, les mâchoires du rongeur trouvèrent la chair et mordirent. Son pied heurta la table roulante. Il perdit l'équilibre, essaya de se rattraper à l'extrémité du labyrinthe. Le dispositif en Plexiglas n'était pas fixé. Tim l'entraîna dans sa chute, renversant la table roulante. Sa tête heurta une cuve d'acide dont le contenu se déversa sur lui et s'enflamma au contact du papier qu'il tenait toujours à la main.

– Tim? Tim?

En entendant la chute et le hurlement inhumain, désespéré de Patterson, Collins lâcha le téléphone et se précipita vers les ascenseurs. Aucun ne se trouvait à son niveau. Trois étages et un long couloir le séparaient de la salle de dissection. Il dévala l'escalier. La sirène d'incendie se déclencha.

Courant à perdre haleine, il atteignit le secteur expérimental. La salle de dissection n'était plus qu'à quelques mètres. Collins introduisit sa carte magnétique commandant l'ouverture de la porte. Le double battant coulissa sans bruit. Une épaisse fumée envahissait le couloir. Il le franchit en deux bonds, ouvrit la porte de la salle d'où s'échappait la fumée.

Pétrifié, il s'arrêta.

Le spectacle était effroyable.

Tim Patterson, réduit à l'état de chairs calcinées et rongées par l'acide, se roulait sur le sol au milieu des flammèches bleutées. Près de lui gisaient les cadavres de trois rats carbonisés. La sirène continuait à hurler. Le Plexiglas d'un labyrinthe fondait au milieu d'une flaque de liquide inflammable, dégageant une fumée toxique qui prit Collins à la gorge. L'incendie tentait de gagner les cloisons du laboratoire, heureusement ignifugées.

Cinq minutes à peine s'étaient écoulées depuis le début de sa conversation avec Patterson. Mais les substances chimiques renversées sur le sol étaient déjà parvenues en s'enflammant à asphyxier la plupart des rats enfermés dans leurs cages. Leurs corps agonisants étaient secoués de spasmes.

Alors, un son guttural s'éleva. Une plainte. Collins eut du mal à reconnaître la voix de Tim Patterson qui l'appelait à l'aide. Le biologiste tendait la main vers lui, le fixant de son œil encore valide.

Jimmy Collins ne bougea pas. Figé dans l'encadrement de la porte, fasciné par cette vision dont l'horreur dépassait l'entendement, il semblait tétanisé. La voix de Patterson se changea en un râle lorsqu'il comprit que Collins ne viendrait pas à son secours. Il laissa retomber son bras et s'effondra dans une flaque d'acide.

Collins se mit à trembler. Il prit conscience qu'il se tenait appuyé contre la vitre protégeant la lance à incendie. A cet instant, un simple geste de sa part aurait peut-être encore pu sauver la vie de Patterson.

Il resta immobile.

Lorsque l'équipe du service de sécurité arriva enfin sur les lieux du drame, trois minutes plus tard, elle découvrit Collins en état de choc. Elle éteignit l'incendie tandis qu'un médecin tentait d'apporter les premiers soins à Patterson. Le jugeant intransportable, ils s'affairèrent autour de lui sur place, pratiquèrent une trachéotomie pour lui insuffler de l'oxygène et demandèrent une tente mobile d'urgence.

Quelques étages plus bas, devant l'entrée de la Morgan, une ambulance freina brutalement.

Tandis que s'éteignait la sirène, Tim Patterson cessa de vivre.

MANHATTAN, LE 4 FÉVRIER

Clara présenta sa main devant la cellule photoélectrique de la porte d'entrée de son appartement.

Rien ne se produisit. Etonnée, elle essaya de nouveau. La porte demeura désespérément close. Convaincue après plusieurs tentatives que le système ne fonctionnait plus, elle regagna son salon et décrocha le téléphone. L'employé du service de sécurité s'excusa platement. Tous les mois, le code des serrures, mémorisé dans un ordinateur central, était modifié. Ils avaient oublié de l'en informer. Un technicien serait chez elle dans quelques minutes.

Que faire pendant cet intermède imprévu? Clara s'assit dans son luxueux fauteuil de cuir. Son regard se posa sur le téléprojecteur. Elle n'avait pas eu le temps de le faire fonctionner une seule fois depuis son arrivée. Sa main caressa lentement la plaque de marbre de sa table basse. Pour la première fois depuis son arrivée à New York, elle se sentait affreusement seule.

Elle repassa dans sa mémoire les événements de ces dernières semaines. La mort de Tim Patterson l'avait affectée, mais les accidents de ce genre, bien que rares, se produisent parfois dans les laboratoires. L'enquête n'était pas parvenue à déterminer la genèse des événements ayant entraîné la mort de Tim. Peut-être une maladresse de sa part. Jimmy Collins n'avait été d'aucun secours aux inspecteurs. Personne n'avait la moindre raison de mettre en doute sa version des faits : se trouvant à proximité de la salle de dissection, il avait été alerté par les cris de Patterson, mais était arrivé trop tard.

Clara croyait cependant aux signes du destin. La mort du biologiste prenait une résonance symbolique dans son esprit. Elle l'interprétait comme un coup de semonce.

Enfermée au quarante-deuxième étage d'une tour par la faute d'un système électronique, qu'adviendrait-il si un incendie se déclarait dans son propre appartement et que la serrure tombe en panne?

Tout à coup, ces gadgets ne lui apparurent plus comme des jouets merveilleux, mais comme les rouages d'un mécanisme aveugle, imbécile, dont elle était prisonnière. Où était la douceur de vivre? Son chauffeur l'espionnait. Un hélicoptère l'arrachait chaque matin au toit du Morgan Building pour la déposer sur le toit du laboratoire d'Hoboken. Commençait alors la ronde des serrures digitales, des cartes magnétiques et des portes coulissantes. Le parcours insensé à travers les couloirs aseptisés et sans âme d'une entreprise aux dimensions inhumaines.

Clara regrettait son studio des bords de Seine, l'Institut Pasteur, mélange de technologie avancée et de système D, et ses bonnes vieilles serrures avec de vraies clefs. Et Gilles Lambert... C'était peut-être lui le complice de toute une vie, l'être d'exception qu'on ne rencontre qu'une fois. Et Oscar? « Je suis une mauvaise mère, j'ai oublié Oscar. » Elle sourit tristement. Il aurait fait un tabac au zoo de Vincennes. « Arrête de pleurer comme une bonniche. T'en connais beaucoup des chercheurs qui disposent de moyens aussi colossaux? »

Il ne lui restait que cinq mois pour mener à bien ses recherches. On effectuait les injections sur les volontaires depuis une petite semaine. Des doses infimes, qu'elle aurait voulu augmenter graduellement, passant du dixième de milligramme en suspension dans une solution saline, aux cinq milligrammes qu'elle estimait être la dose clinique optimale. Mais être obligée de brûler les étapes sans les temps d'analyse et de réflexion indispensables! Et si un détail lui échappait? Une fiche de contrôle analysée à la hâte, un symptôme mal interprété? Qu'adviendrait-il de tous ces hommes? Ces vétérans qui se prêtaient en plaisantant à une expérience dont ils n'entrevoyaient même pas la finalité? Et les autres, multitude d'inconnus qui, dans un an ou deux, consommeraient la Substance B en toute confiance, ignorant avec quelle hâte elle avait été testée?

On frappa à la porte.

– Mademoiselle Zellmeyer? Vous pouvez présenter votre main devant la cellule. L'ordinateur va enregistrer votre empreinte.

On conduisait une partie de sa vie à sa place. Si son libre arbitre était une automobile dont elle était le chauffeur, il lui fallait reprendre le volant.

Clara se leva et présenta sa main à la machine.

NEW YORK, LE 5 FÉVRIER

Que ce soit sur le plan intellectuel ou physique, Don Pfeiffer avait de formidables ressources. Autant que sur le plan vestimentaire. Il opta en ce jour d'hiver exceptionnellement ensoleillé pour une cape de loden feuille-morte, un large pantalon de daim roux, s'accordant, il en avait la conviction, avec ses Nike d'alpiniste noir et argent. Ainsi chaussé, il pourrait marcher jusqu'à la 42e Rue, malgré les trottoirs verglacés, plutôt que de prendre un taxi. Il descendit jusqu'à Central Park East, arriva à la 7e Avenue après Columbus Circle, puis à Time Square. Il lui restait quelques blocs à parcourir mais, à New York, cela pouvait signifier des heures de marche.

En sifflotant, il allait d'un pas rapide, les joues rougies par le froid, observant d'un œil amusé la faune new-yorkaise qui ne cessait de le surprendre. Un Noir avançait en se déhanchant à sa rencontre, engoncé dans un pardessus élimé et trop épais, l'oreille collée à un « ghetto-blaster ». La musique devait s'entendre jusqu'aux rives de l'Hudson. Aux feux rouges, les chauffeurs de taxis s'invectivaient sur le ton de la confidence. Quelques Krishnas, crâne rasé et longue robe orange, clamaient en chantant les performances de leur dieu. Le voyou en Don Pfeiffer eut immédiatement envie de leur administrer quelques baffes pour détournement de clientèle, mais le comptable en lui prit le dessus : qu'est-ce que ça changerait?

Plus loin, au-delà de Columbus Avenue, une foule de jeunes entouraient un groupe de fanatiques aux yeux bridés qui proclamaient l'arrivée d'un nouveau messie entièrement jaune. Don Pfeiffer réprima bien plus rapidement ses pulsions guerrières. Sur le trottoir d'en face, un gaillard aux doigts agiles défiait les passants au bonneteau. Une dizaine de badauds formaient cercle autour de sa boîte en carton. Son compère faisait le guet. Un client hurla. Il venait de perdre cinquante dollars sur la dame de cœur. Cela ne sembla pas décourager les autres parieurs.

A ce spectacle, Don Pfeiffer sourit. Il connaissait toutes les arnaques. Il était arrivé sans même s'en rendre compte en plein milieu de Time Square. Il allongea le pas devant l'immense panneau clignotant de Coca-Cola, coupa la file d'attente qui se pressait à l'entrée du théâtre.

Seuls un hall de jeux électroniques en pleine effervescence et une boutique de revendeur-receleur de gadgets le séparaient encore de la blanchisserie de la 42e Rue.

Plusieurs Noirs faisaient la queue devant le comptoir de la boutique qui étincelait de propreté. Un Asiatique aux cheveux blancs, au visage ridé, prenait livraison du linge sale, donnait un ticket ou échangeait quelques *tokens* contre un dollar. Puis il désignait la rangée de machines à laver automatiques. Deux vieilles femmes étaient en grande conversation. Cela consistait pour elles à parler ensemble, sans s'arrêter, de deux sujets apparemment différents. Pour sceller cette amicale incommunicabilité, elles tricotaient en attendant que leur lessive soit terminée.

Don Pfeiffer se fraya un passage jusqu'au Vietnamien.

– Je voudrais voir Guido Rambaldi.

L'Asiatique pointa le doigt vers le plafond.

– Le patron, i'dor. Là-haut, répondit-il d'une voix nasillarde.

– Comment on monte?

Le Vietnamien haussa les épaules, soupira et

appela derrière lui. Aussitôt apparut une vieille femme tout aussi ridée.

– Pas d'armes? demanda le boutiquier.

– Comment!?

– Vous montez voir le patron, vous avez pas d'armes. C'est comme ça!

Amusé, Don Pfeiffer se laissa palper sommairement. La Vietnamienne lui fit signe de la suivre. Ils gravirent l'escalier en colimaçon.

Guido était affalé sur un lit *king-size* au milieu d'une chambre vaste et sombre. L'ameublement se résumait à une bibliothèque pleine à ras bord des ouvrages les plus divers, à un bureau et à un fauteuil en osier. Dans un coin étaient rangées plusieurs cantines militaires cadenassées. Accrochée au mur, une photo encadrée représentait Guido en tenue de combat aux commandes d'un hélicoptère Bell, sur fond de jungle et de rizières. Une bouteille de whisky vide gisait au pied du lit.

– Guido?

L'ancien marine contempla Don Pfeiffer d'un œil morne.

– C'est joli les yeux rouges. Tu m'as l'air dans un sale état.

– Ah, c'est toi! Quelle heure est-il?

– L'heure du dîner. Je vais te faire un café.

Rambaldi tenta de se lever, chancela, puis réussit à s'asseoir.

– J'ai mieux.

D'une voix forte, il appela :

– Nang Ten!

La Vietnamienne apparut comme par miracle. Guido lui parla dans un dialecte inconnu de Don Pfeiffer où se mêlaient quelques mots de *slang*. Nang Ten revint quelques secondes plus tard, portant un bol au fumet agréable. Guido l'avala goulûment. Il reprit aussitôt du poil de la bête. Il cligna des yeux et essaya un sourire.

– La potion miracle anticuite de Nang Ten, annonça-t-il avec satisfaction.

– Qu'y a-t-il dedans? demanda Don Pfeiffer, épaté.

– Du ginseng, du rat crevé, des épices, du gingembre. Je ne sais pas exactement. Elle m'a juré de me donner la recette le jour de sa mort.

Puis Guido se dressa sur ses jambes et rajusta sa chemise. Il surprit le regard de Don Pfeiffer fixé sur sa photographie.

– Elle a été prise au sud de Da Nang deux jours avant que je me plante. J'avais de l'allure, hein!

Cette évocation l'attrista. Il ramassa la bouteille vide et la posa d'un geste machinal sur le rebord de son bureau. Il ouvrit la première cantine et en sortit une autre bouteille.

– Tu remets ça? s'inquiéta Don Pfeiffer.

Guido lui fit un clin d'œil.

– N'hésite jamais à te soûler la gueule si tu traînes dans le coin. Nang Ten t'arrangera ça.

– Ça ne m'arrive jamais.

Le regard de Guido pétilla de malice.

– Tu es quoi, au juste? Une sorte de pasteur? Un curé?

– Tu ne te trompes pas de beaucoup. J'ai failli être curé.

De stupéfaction, Guido laissa choir le bouchon.

– Hein?

– Ne me regarde pas comme ça! J'ai laissé tomber avant de prononcer mes vœux.

– Curé! s'exclama Guido. Rabbin ou pasteur, j'aurais encore compris. Mais les curés sont les seuls qui se marient pas! Qu'est-ce qui t'a pris?

Don Pfeiffer laissa passer quelques instants avant de répondre. Il appréciait la spontanéité de l'ancien marine. Les deux hommes s'étaient rencontrés trois ou quatre fois au foyer et Don Pfeiffer lui avait exposé le but officiel de ses visites. Guido s'était montré attentif. Il appréciait toute action en faveur des anciens combattants. Avec Guido, Don Pfeiffer avait fait le bon choix. L'Italo-Américain exerçait un véritable ascendant sur les autres vétérans. Mieux encore, Guido avait été élevé dans la foi et, même s'il ne croyait plus, il lui en restait forcément quelque chose. Grâce à leur amitié naissante, Guido se montrait moins avare de confidences. Don Pfeiffer avait ainsi pu suivre l'évolution des recherches effectuées par Clara Zellmeyer. Les vétérans étaient soumis à des expériences de plus en plus nombreuses dans une atmosphère de pression... La fébrilité qui semblait gagner la Morgan Chemical était préoccupante.

Guido ramassa le bouchon tombé sur le sol et porta la flasque à ses lèvres.

Don Pfeiffer poursuivit le récit de sa vocation manquée :

– Je me suis fait virer pour une histoire de chewing-gum.

Guido alluma une cigarette et s'installa confortablement.

– Raconte!

– Lors d'un séminaire, le père supérieur nous autorisa à poser n'importe quelle question. J'avais vingt ans. J'ai demandé la raison pour laquelle l'Eglise s'opposait à la contraception. « Les organes sexuels ont été conçus pour la procréation, me répondit le père supérieur. C'est aller à l'encontre de la Volonté divine que d'utiliser la chair aux seules fins du plaisir... Alors, on devrait excommunier les mâcheurs de chewing-gum », proposai-je. Quarante frères me regardèrent comme si j'étais le diable. « Et pourquoi, mon fils? – Les organes digestifs ont été conçus pour que l'homme se nourrisse et la bouche pour l'aider à cette fonction. C'est donc aller à l'encontre de la Volonté divine que de mâcher un chewing-gum pour le simple plaisir. »

Guido éclata de rire.

– J'ai été catalogué comme hérétique. Après, les pénitences sont devenues si nombreuses que j'ai renoncé bien vite à cette vocation.

Guido avala une nouvelle gorgée de whisky, s'étrangla, recracha le liquide puis but encore une fois.

Don Pfeiffer l'observait avec attention. Il venait d'inventer cette histoire de toute pièce pour réveiller Guido. Mais il pensa qu'après tout cette histoire de chewing-gum n'était pas si stupide que ça.

– Mon vieux, s'exclama Guido Rambaldi, tu as gagné un dîner de première classe chez Antonio. Et si tu ne connais pas l'Italie, je te garantis que ses pizzas et son osso bucco valent largement ceux que tu pourrais manger à Rome.

– Tu as déjà été en Europe?

– Non, jamais. Mais à quoi bon, puisque je suis né dans Little Italy!

Chez Antonio, Guido et Don Pfeiffer furent reçus chaleureusement. Un savoureux dîner, copieusement arrosé, conforta leur amitié.

HOBOKEN, LE 6 FÉVRIER

Clara regardait dormir Gerry Milton. Le doyen avait gardé cette faculté de plonger dans le sommeil quelle que soit l'heure et malgré le bruit. Mais il suffisait de l'effleurer ou de braquer une lueur trop vive sur son visage pour qu'il bondisse, aussitôt en alerte. Clara s'en était étonnée.

« Ça s'apprend, lui avait-il expliqué. A l'heure de la relève, un copain vient vous dire : “ Fais gaffe, on risque d'avoir de la visite. ” Alors vous savourez vos secondes de repos avec la frénésie d'un condamné qui jouit de sa dernière cigarette. »

Clara effleura son épaule. Le vieux marine se redressa brusquement. Une lueur affolée passa dans son regard, puis il se ressaisit.

– Bonjour, docteur. J'aurais dû me douter que je ne gagnerais pas mes mille dollars seulement en roupillant.

Clara lui sourit.

– J'ai juste quelques questions à vous poser.

Robin venait d'entrer dans le box. Elle prit place sur le bord du lit et ouvrit son calepin. D'une boîte hermétiquement close, Clara extirpa une double plaquette.

– Vous me refaites le coup des taches!

– Le test de Rorschach, expliqua Clara. Comme la dernière fois, je vais vous demander de vous concentrer sur ce dessin et de laisser aller votre imagination. Puis vous me direz ce que ces taches évoquent pour vous.

La première fois, avant d'être traité sous Substance B, Gerry Milton avait vu successivement : une tache de sang, un insecte écrasé, une mare de boue, un avion en chute libre, des yeux de hibou reliés par un fil électrique et le corps d'une gazelle dévorée par les vautours.

– Je peux faire les mêmes réponses? demanda Gerry avant de regarder la plaquette.

– Dites tout ce qui vous passe par la tête.

Le vieux marine chaussa ses lunettes.

– Tiens, observa-t-il. Ce n'est pas la même série.

Clara attendit, le cœur battant. Même s'il n'avait rien de catégorique, le test de Rorschach constituait dans le cas présent une bonne approche de l'évolution du patient.

– On dirait un arbre, poursuivit Gerry. Ou plutôt un chou-fleur... Non, un arbre. Avec un nid d'oiseaux posé dessus. Il y a même une mère en train de nourrir des oisillons. Ces petits points, là. Il était drôlement baveur, votre stylo!

Clara referma la première plaquette. Robin notait. La caméra vidéo enregistrait la scène.

– Et celle-là? demanda Clara.

Gerry se gratta le nez.

– Une barque? Avec deux pêcheurs dessus. Ils taquinent le goujon. Non, quelque chose de plus gros. En fait, ils chassent la baleine. Regardez l'épaisseur de ces lignes. Mais ils ne s'en sortiront jamais sur une telle embarcation. A moins qu'ils ne veuillent pas l'attraper. Seulement l'observer. Ouais. D'ailleurs le machin, là, pourrait bien être un bébé baleine en train de leur sourire.

Le test se poursuivit pendant cinq minutes. Puis Clara referma la dernière plaquette. Elle jubilait.

– Ça va, doc? demanda Gerry. J'ai mérité la croix de guerre?

Clara et Robin échangèrent un regard de connivence. On était sur la bonne voie.

– Ce sont les mêmes dessins, Gerry.

Gerry parut stupéfait.

– Comment vous sentez-vous?

– Pas mal. Comme au début d'une bonne cuite. J'ai l'impression que si je vous demandais de m'embrasser, je recevrais pas une bonne droite comme le fait la fille de ma concierge.

Clara sourit. Elle lui posa un baiser sur le front. C'était la première fois. La première preuve concrète. Elle avait injecté la Substance B à des centaines de rats, de hamsters, de singes et même de chiens. Avec le même résultat : ralentissement des pulsions d'agressivité, comportement plus tempéré, regain d'appétit chez les animaux réfractaires au milieu clinique... mais pas un seul, et pour cause, n'avait jamais pu prononcer cette simple phrase : « Je me sens mieux. »

NEW YORK, LE 6 FÉVRIER

La piscine de Franck Bauer mesurait vingt-cinq mètres de long sur dix mètres de large. Elle était prolongée d'un jacuzi et protégée l'hiver par une verrière gigantesque dont la partie supérieure coulissait, mue par de puissants moteurs électriques. Il suffisait, dès les beaux jours, d'appuyer sur un bouton pour transformer la terrasse en solarium. La luxuriance de la végétation soigneusement entretenue par un jardinier protégeait l'intimité du président de la Morgan. Même à ce degré de puissance, il ne pouvait rien contre la présence d'impressionnants gratte-ciel qui cernaient et parfois dominaient le building de la Morgan...

Il pouvait, tout en nageant, correspondre avec n'importe lequel de ses employés par un téléphone à distance. Un écran vidéo affichait constamment les cours de Wall Street. C'était quelques-uns des gadgets sans lesquels Bauer ne pouvait concevoir son existence de *chairman of the board.* Des avantages dont il aurait du mal à se passer s'il perdait sa fonction. Même si sa fortune personnelle le mettait à l'abri des jours difficiles, le jet et les hélicoptères de la Morgan, cet appartement unique à Manhattan, étaient devenus partie intégrante de son mode de vie, en même temps que la projection de sa propre puissance.

Depuis une demi-heure déjà, Bauer nageait mais ne parvenait pas à se détendre. Il s'accouda au rebord de la piscine et appela à voix haute :

– Collins!

Aussitôt, le décripteur synthétiseur composa le numéro de son adjoint. Jimmy Collins trouva Bauer dans l'eau bouillonnante du jacuzi. Il était 8 heures du matin. De la neige fondue glissait sur la verrière.

Un amoncellement de nuages bas masquait les sommets des plus hautes tours.

– Enlevez ce costume de confection et venez me rejoindre dans l'eau, grogna Bauer en guise de bienvenue.

Collins consulta sa montre.

– Je suis désolé, Franck, mais j'ai rendez-vous avec le représentant de la F.D.A. à 8 heures 30.

Bauer tendit la main vers un boîtier et baissa le son du téléviseur où passaient « Eyewitness news », les informations matinales d'A.B.C.

– Où en sommes-nous? demanda-t-il sans insister sur l'offre que Collins venait de décliner.

– Le dérivé d'oxyphénylbutazone que nous avons testé n'a rien de révolutionnaire, aussi la F.D.A. ne se livre qu'à une procédure de routine...

– Je ne parle pas de l'anti-inflammatoire, rugit Bauer. Je m'en fous. Nous aurons l'approbation. Zellmeyer. Où en est Zellmeyer?

Le visage de Collins se ferma. Il savait pertinemment que Bauer ne l'avait pas convoqué pour lui parler de l'oxydril, le nouvel anti-inflammatoire, ni des courbes de vente des O.T.C., ni du développement de leur réseau de distribution en Amérique centrale. Bauer l'appelait tous les matins pour lui poser la même question. Comment évoluent les recherches sur la Substance B?

Pourquoi Bauer ne s'en informait-il pas directement auprès de Clara? C'était elle, après tout, la responsable du programme. Mais Collins le savait, malgré sa maîtrise des relations humaines, Bauer répugnait à traiter avec les chercheurs. Leur ferveur, leur idéalisme, le mettaient mal à l'aise. Il craignait de les démotiver en leur dévoilant certains aspects de sa personnalité. Qu'ils gardent de lui l'image idyllique d'une toute-puissance protectrice convenait au président de la Morgan.

– Les derniers résultats sont encourageants, le

rassura Collins à regret. Les réactions des sujets à la molécule concordent avec les rapports d'analyses de l'Institut Pasteur sur les expérimentations animales.

Cette réponse ne suffit pas à Bauer.

– C'est, mot pour mot, ce que vous m'avez dit hier et avant-hier. Bon sang, Jimmy, je veux des chiffres! Combien de milligrammes? Quelle est la dose clinique? Quelle est la durée des effets?

Collins secoua la tête, agacé. Depuis la mort de Tim Patterson, il n'était plus le même. Mais Bauer ne s'en était pas rendu compte. Bauer n'étudiait jamais le comportement de son entourage, se contentant d'en apprécier la servilité et d'user de son charme lorsqu'il sentait son emprise diminuer. Patterson était mort depuis dix jours déjà. Chaque nuit, Collins se réveillait, couvert de sueur, hanté par le visage défiguré du biologiste : Patterson tendant la main vers lui avant de s'effondrer et mourir...

Inconsciemment, Collins associait cette vision infernale aux recherches sur la Substance B. Quelle avait été la dernière phrase de Patterson? « Ne quittez pas, Jimmy. J'ai une merde! » Puis les cris. Non pas de surprise ou de douleur, mais de terreur. Jimmy ne comprenait pas. Quelque chose de maléfique s'était déroulé. Peut-être Jimmy aurait-il pu en parler lors de l'enquête. Peut-être les rats, tous morts asphyxiés par la fumée, auraient-ils dû être autopsiés. Mais il n'avait pu se résoudre à révéler sa lâcheté, sa fascination devant la mort et l'horreur. Ces quelques secondes pendant lesquelles il aurait encore pu sauver Tim!

L'état léthargique de Collins irrita Bauer. Il s'extirpa du jacuzi et saisit une serviette dont il se ceignit les reins. Il pointa un doigt menaçant sur son adjoint. Collins recula.

– Vous rêvez, mon vieux! Vous êtes dans les nuages. La compagnie des scientifiques ne vous réussit pas!

– Je vous rappelle que je suis un scientifique moi-même ! protesta faiblement Collins.

Bauer ricana.

– Allez donc quémander un poste de directeur des recherches chez American Home Products, vous verrez ce qu'ils vous répondront !

Cette fois, Collins s'emporta.

– Je me suis grillé pour vous, Franck. Ne l'oubliez pas !

Il ne pouvait oublier leur entretien, au bord de cette même piscine, quatre ans plus tôt. Bauer s'était mis dans le pétrin. La Morgan Chemical venait de commercialiser « *le* » neuroleptique miracle couronné par l'approbation de la F.D.A. après cinq ans de recherches et quelque deux cents millions de dollars. Mais, à moyen terme, l'usage de ce médicament altérait dangereusement la mémoire. Un effet secondaire qu'aucune analyse n'avait pu déceler en laboratoire. Des cas isolés avaient été portés à la connaissance de Bauer. De plus en plus nombreux. Il avait dissimulé les premiers rapports puis convoqué Collins.

– La Morgan a besoin de commercialiser ce produit pendant encore au moins six mois. Mais je ne peux pas me permettre de prendre cette décision moi-même. Faites-le à ma place, Jimmy, en qualité de responsable des recherches. Tant que je suis président, vous n'avez rien à craindre. Si je saute, vous sautez avec moi. Si l'affaire est découverte, je serai obligé de vous infliger un blâme. Mais dans cinq ans, peut-être avant, dès que tout sera oublié, je vous promets de vous nommer vice-président ou directeur général...

Collins avait accepté. Et personne d'autre au monde ne savait que lui, Collins, en assumant seul cette responsabilité, avait lié à jamais son destin à celui de Bauer, perdant ainsi la possibilité de faire la moindre carrière en dehors de la Morgan. Quatre ans s'étaient écoulés. Aucune des promesses de Bauer n'avait été tenue.

Bauer perçut la tension qui habitait son adjoint. Ce n'était pas le moment de s'aliéner Collins. Il reprit d'une voix presque tendre :

– Je sais combien vous m'êtes fidèle, Jimmy. C'est pour cela que je vais vous charger d'une mission.

Il laissa tomber sa serviette et se plaça devant un appareil dont la forme rappelait celle d'un climatiseur. Aussitôt l'air chaud l'enveloppa, le séchant presque instantanément. Il enfila alors un peignoir et précéda Collins dans le salon. Là, il servit deux jus de fruits vitaminés et lui en tendit un.

– Nous avons jusqu'au 28 février pour livrer dix mille échantillons à ce voyou. (Il faisait allusion à Oram. Une fois de plus, les deux hommes étaient seuls à partager le secret.) Le département chimique est prêt pour la fabrication en masse. Il dispose de la formule de synthèse. Je n'aurai donc aucun problème à tenir les délais.

Il marqua une pause et avala son jus de fruits. Collins avait gardé son verre à la main, attentif, méfiant.

– J'hésite cependant à livrer Oram sans avoir la certitude que la Substance B tiendra ses promesses.

C'était un peu tard pour y penser, songea Collins. Bauer devait être tourmenté par la clause de dommages et intérêts figurant au contrat. En cas de défaillance, le double des sommes versées devait être restitué à la secte d'Oram. Quatre cents millions de dollars qui deviendraient huit cents!

– Les doses de Zellmeyer sont trop faibles. Je n'aurai aucun résultat concret avant au moins quatre mois. J'ai donc donné ordre qu'elles soient dorénavant doublées. Cependant, cela ne suffit pas. Nous n'avons plus que trois semaines avant le 28...

Alors Bauer exposa son plan. Une fois de plus, malgré la rancœur qui l'habitait, Collins accepta.

HOBOKEN, LE 7 FÉVRIER

C'était la première fois qu'une lettre de l'Institut Pasteur parvenait à Clara depuis son arrivée à New York.

Une tragique erreur s'était produite. Oscar avait été sacrifié alors que la demande officielle de son admission au zoo de Vincennes avait été établie et acceptée. Les notes de service précisant la grâce accordée à Oscar avaient été largement diffusées dans les services concernés. Par quelques mots manuscrits au bas de la page, Joliot, le directeur de l'Institut, exprimait ses regrets et présentait ses excuses à Clara.

A la triste missive avaient été jointes les fiches d'observation. Tout semblait normal.

Clara s'étonna de ne pas éprouver une plus grande souffrance. D'autres priorités l'accaparaient désormais, d'autres émotions aussi. Si peu de jours s'étaient écoulés, et Oscar appartenait déjà à un chapitre de sa vie définitivement clos.

Le compte rendu d'analyse portait la signature d'Isabelle Fisher, cette assistante rieuse, presque une amie, qui avait partagé son bonheur à l'annonce de la grâce d'Oscar. Dans son carnet, elle retrouva aisément le numéro de téléphone de la laborantine et le composa. A Paris, il était trois heures du matin. Elle serait chez elle. Dès la première sonnerie, on décrocha.

– Allô, Isabelle?

Un disque enregistré lui répondit :

– Le numéro que vous avez demandé n'est pas en service actuellement. Nous regrettons de ne pouvoir donner suite à votre appel.

Clara s'éveilla en sursaut. Le bruit lui manquait, les klaxons, les injures en français qui lui arrivaient malgré le double vitrage vétuste, les odeurs de pizza, les jappements asthmatiques du chien de la concierge habité par quelque cauchemar...

Et le téléphone ne sonnerait pas.

Gilles Lambert l'avait-il remplacée? Oh! pas pour l'amour, mais dans la complicité chaleureuse, fraternelle, sexuelle aussi qui maintenant lui manquait.

A Hoboken, même l'air conditionné était silencieux. Dans les relations humaines, tout était huilé, sans surprise. Comme ce lit lui semblait grand! Déjà elle se levait, courait vers le réfrigérateur géant, prenant au hasard deux boîtes de bière Coors, une grosse tablette de chocolat Hershey's et une poignée de « Fortune Cookies ».

Quatre heures du matin. Instant en dehors du temps où la volonté s'effrite, où le premier venu peut disposer de vous.

Assez de distance toutefois pour que Clara se visualise en héroïne frustrée, remplaçant les mots et les gestes de l'amour par cette boulimie incontrôlable. Elle chassa du drap les miettes du « plus mauvais chocolat du monde », but une gorgée de bière et décida qu'elle avait encore faim.

La porte du réfrigérateur était restée ouverte, découpant un triangle de lumière blême sur le carrelage glacé.

Elle émietta une demi-baguette d'importation dans un pot de crème fraîche, ne trouva pas, cette fois, la patience de retourner jusqu'à la chambre.

De sa veste de pyjama elle ne mettait que le haut. Le contact du marbre la fit frissonner lorsqu'elle s'assit sur le sol. Elle engloutit l'écœurant et délicieux mélange.

Dans son esprit se bousculaient des souvenirs d'étreintes, de chaleur, de mots imbéciles mais indispensables... A ces images se superposa un flash aigu de punition : la séquence d'un spot publicitaire dont l'héroïne n'arrivait plus à fermer son jean.

Repue mais coupable, Clara n'arrivait plus à se rendormir.

– Alors, ma vieille! Qu'est-ce qu'on fait maintenant?

NEW YORK, LE 7 FÉVRIER

La petite église avait connu des jours meilleurs. Nichée entre l'ambassade d'un pays africain et le jardin d'une maison aux volets clos, elle exposait sa façade vétuste sur la 47e Rue, près de Grand Central.

Don Pfeiffer tira le battant aménagé dans les larges vantaux de chêne, traversa en se signant plusieurs fois la longue allée bordée de bancs usés par les offices et s'arrêta devant l'autel. Agenouillée non loin de lui, une jeune femme priait ardemment, les yeux fermés et les joues ruisselant de larmes. Plusieurs cierges achevaient de se consumer au pied d'une madone d'albâtre dont la robe pourpre et l'auréole avaient perdu leur éclat. Don Pfeiffer attendit.

La jeune prieuse leva les yeux et lui jeta un regard étonné. Etrange croyant qui demeurait ainsi immobile, face à la croix, dans une attitude peu fervente. Don Pfeiffer attendit encore.

Un homme apparut enfin et s'avança vers lui. Il était vêtu d'une soutane, mais portait son col ouvert comme s'il venait de s'habiller.

– Que désirez-vous, mon fils?

– Je suis celui que vous attendez, murmura Don Pfeiffer.

Impassible, le prêtre le détaillait. D'où sortait-il celui-là, ainsi accoutré. Enfin, il hocha la tête.

– Suivez-moi.

Don Pfeiffer fut conduit dans l'arrière-chœur, puis descendit un escalier en colimaçon protégé par une grille de fer. Le prêtre l'abandonna sur le seuil d'une cave aux murs blanchis à la chaux.

– Soyez prudent. Parlez à demi-mots. N'oubliez pas que vous êtes relié par satellite...

Don Pfeiffer acquiesça d'un signe de tête, agacé. Comme s'il était capable d'une telle imprudence! Il attendit que la porte se referme. Face à lui se trouvait l'écran d'un téléprojecteur. Il prit place dans un fauteuil sur lequel était braquée une caméra. L'équipement électronique posé sur des racks lui était familier. Il consulta sa montre. Dix heures moins deux. Il avait donc deux minutes pour trouver la bonne fréquence. La manœuvre lui prit quatre-vingt-quinze secondes. Au-dessus de sa tête, nichée dans le clocher, l'antenne parabolique se mouvait lentement, cherchant sa position. L'écran s'alluma, l'image striée et hachurée se stabilisa.

A Rome, il était 17 heures. L'image du cardinal Interlinghi apparut sur fond de rideaux pourpres.

– Heureux de vous retrouver, dit l'image en souriant.

Don Pfeiffer lui rendit chaleureusement son sourire.

– Même sous la forme d'un tube cathodique, soyez assuré de mon profond respect, Eminence.

Il accompagna sa phrase d'une génuflexion toute symbolique.

– Quel est votre sentiment sur l'affaire qui nous préoccupe? demanda Gian-Carlo Interlinghi.

– La menace se précise. Ces hommes croient avoir trouvé la solution.

Il serra les lèvres, le regard fixé sur l'écran avec intensité. Il reprit :

– La Morgan avance dans son programme avec la puissance et la vitesse des chars russes investissant Prague. Il nous faut frapper vite et fort.

Gian-Carlo Interlinghi se tut, semblant entrer en méditation. « A dix mille dollars la minute, c'est la réflexion la plus onéreuse des temps modernes », songea Don Pfeiffer, retrouvant son sens pratique. Enfin le cardinal s'exprima :

– Il a pris connaissance du dossier.

Il faisait allusion au Saint Père. Le pouls de Don Pfeiffer s'accéléra.

– Je n'ai pas eu à le convaincre. Il faut agir par tous les moyens. Nous avons décidé de vous donner carte blanche.

Soudain, les yeux du cardinal Interlinghi flamboyèrent littéralement. Si cela était possible pour un des hommes les plus pondérés et les plus puissants du monde, il aurait pu sembler « hors de lui ». Il répéta d'une voix forte :

– Par tous les moyens!

Il acheva sa phrase sur un sourire et tendit le bras vers l'écran. Instinctivement, Don Pfeiffer eut envie de se pencher en avant et de baiser son anneau. La communication fut interrompue.

Don Pfeiffer demeura de longues minutes devant l'écran déserté. Il se leva enfin et sortit de l'église. C'était donc en ce lieu apparemment modeste que les prélats américains débattaient des affaires de l'Eglise avec Son Eminence et même Sa Sainteté... Quoique grand connaisseur en vanité humaine, Don Pfeiffer ne put lutter contre une bouffée d'orgueil.

Il chassa ces scories. Il lui fallait entrer dans le vif du sujet.

HOBOKEN, LE 8 FÉVRIER

– J'exige de le voir immédiatement!

Clara tenta de se calmer. Depuis son arrivée, Bauer lui avait accordé en tout deux entretiens téléphoniques de trois minutes chacun. Tout d'abord, il l'avait rassurée quand elle s'était plainte à Collins d'être suivie par son chauffeur. Et plus récemment, il avait tenu à la féliciter personnellement pour son compte rendu sur l'absence de réactions métaboliques sur les sujets. Sa première victoire! Mais cette fois, il était hors de question qu'elle s'adresse à Collins.

– Voulez-vous laisser un message? demanda la secrétaire.

– Oui. Dites-lui que j'arrête tout tant qu'il ne m'aura pas accordé un entretien.

Elle raccrocha. A cet instant, Meryl fit irruption dans le bureau.

– Que faisons-nous? demanda-t-elle, catastrophée.

– Plus rien pour l'instant, répondit Clara. Je vais prendre l'air!

Elle abandonna son assistante sans plus d'explication. Le chemin pour parvenir à l'extérieur était encombré de portes coulissantes, d'arrêts obligatoires surveillés par des caméras vidéo et de postes de sécurité. Clara les franchit dans une fureur grandissante. Tant de précautions pour garantir les secrets de la Morgan Chemical et si peu de respect pour les règles élémentaires de protection des sujets d'expérimentation! Bauer se prenait-il pour le Créateur?

Elle parvint enfin devant le parc dont les massifs dénudés étaient couverts de givre. Une mince couche de verglas rendait l'allée glissante. Elle avança avec précaution, respirant l'air à pleins poumons, retrouvant son calme peu à peu. Derrière elle, sur un ciel gris et bas, se découpait la masse importante des bâtiments du laboratoire. La limousine qui l'avait amenée ce matin était encore garée devant le vaste perron de l'entrée principale. Clara utilisait l'hélicoptère de moins en moins souvent, préférant profiter pleinement des quarante-cinq minutes de trajet à travers Manhattan. Elle en avait désormais un besoin vital. Elle pouvait observer à loisir l'activité de New York, les cars jaunes conduisant les enfants à l'école, les marchands ambulants de bretzels, la foule se ruant dans les bouches de métro, les policiers montés à cheval.

Elle prenait conscience peu à peu de son état d'instrument aux mains de la gigantesque entreprise. Chacun de ses désirs était aussitôt assouvi à la manière dont un électronicien remplacerait une pièce défectueuse. Comme une machine, Clara devait fonctionner puis, le soir venu, on la rangeait dans son habitacle doré, s'assurant qu'elle disposait du repos et des agréments nécessaires à son rendement optimal. C'était la règle du jeu. Pour la Substance B. A condition que chacun des partenaires la respecte. Mais aujourd'hui, Bauer avait triché. En arrivant au laboratoire, Clara avait découvert avec stupéfaction une note de service adressée aux infirmiers ordonnant que les dosages de la Substance B soient doublés sur-le-champ!...

Elle alluma sa dernière cigarette, froissa le paquet et le jeta. Elle marchait sur la pelouse, ses chaussures à talons plats faisant crisser la mince pellicule de neige saisie par le gel. Elle frissonna. Son manteau était resté dans son bureau. Malgré le froid, elle se força à contourner le bâtiment, appréciant l'apaisement que lui procurait la marche. Elle longea l'aire d'atterrissage et jeta un coup d'œil distrait sur les hélicoptères sagement alignés. Elle se figea, luttant contre un nouvel accès d'indignation. Entre les deux

Sikorsky servant au transport du personnel ou aux expéditions urgentes de médicaments, elle reconnut le Jet Bell Ranger de Bauer.

– Ce salaud est dans son bureau!

Aussitôt elle revint sur ses pas, en marchant tout d'abord puis en courant. Son pied glissa sur une plaque de verglas. Clara s'étala de tout son long, s'écorchant aux coudes et au genou. Elle se releva, pestant contre sa maladresse, et se rua dans le hall. Elle téléphona à la secrétaire de Bauer.

– Ne me racontez plus d'histoires, je sais qu'il est ici. J'ai vu son hélicoptère. Je monte.

Elle raccrocha avec violence et regagna la section clinique. Meryl l'y attendait, le visage empreint de désolation.

– Calmez-vous, Clara. Je vous en prie.

Sans l'écouter, la jeune femme gagna le corridor jouxtant la salle de repos des vétérans. L'infirmier-chef pianotait sur le clavier de son terminal. Il leva un regard étonné sur Clara. Un aide soignant rangeait des fioles dans un container ignifugé. Une laborantine poussait une table roulante chargée de boîtes en plastique et de seringues hypodermiques. De l'autre côté de la baie vitrée, une vingtaine de vétérans, ignorant le litige dont ils faisaient l'objet, reposaient tranquillement dans leur lit. Certains dormaient.

– Où allez-vous? demanda Clara, coupant le chemin de la laborantine.

– C'est l'heure de la seconde dose pour la section trois, répondit la jeune fille, visiblement effarouchée.

Meryl suivait Clara. Elle tenta d'attirer son attention.

– Il n'en est pas question! (La voix de Clara vibrait de colère contenue.) J'ai donné ordre de tout arrêter!

– Clara...

Elle se retourna brusquement vers Meryl. Son assistante paraissait au bord du désespoir. Les deux infirmiers s'étaient interrompus et les dévisageaient.

– Clara, murmura Meryl, ne sachant comment exprimer ses regrets. Je... je suis désolée. Nous ne pouvons changer le rythme de travail sans l'accord de Franck Bauer ou de Jimmy Collins! Les ordres sont très stricts à la Morgan Chemical...

Clara la fixa comme si elle n'avait pas réussi à comprendre l'inacceptable révélation. Elle blêmit et serra les poings. La petite laborantine, profitant de son trouble, la dépassa et, trottinant derrière son chariot, la tête basse, franchit la porte séparant le corridor d'observation de la rangée de boxes. Clara se ressaisit. Meryl n'osait plus proférer un seul son. Elle fut soulagée lorsque la jeune chercheuse désigna le téléphone près du pupitre de l'infirmier-chef et ordonna, d'une voix blanche, qu'on lui trouve Collins sur-le-champ. Elle l'obtint immédiatement.

– Jimmy. Bauer est ici et je veux lui parler. Débrouillez-vous pour lui faire parvenir ce message : s'il ne se met pas en contact avec moi dans l'heure qui suit, j'annonce publiquement à tous les sujets d'expérimentation que les dosages ne correspondent pas à l'échelle de sécurité que j'ai établie!

Elle tendit l'appareil à l'infirmier-chef, ne daignant même pas raccrocher elle-même. Le regard flamboyant, désormais sûre d'elle, elle se retourna vers Meryl et lança, presque amusée :

– S'ils veulent la guerre, je n'attendrai pas qu'ils tirent les premiers!

Elle n'eut pas longtemps à attendre.

Elle était assise depuis dix minutes, assistant impuissante au manège des infirmiers qui, box après box, injectaient la Substance B aux vétérans, lorsque le téléphone sonna. L'infirmier-chef tourna la tête vers elle.

– Docteur Zellmeyer, la secrétaire de M. Bauer

vient d'appeler... Le président vous attend dans la salle de conférence. Au cinquième étage...

– Pourquoi ne me prenez-vous pas au téléphone? demanda Clara sans répondre au sourire bienveillant du président de la Morgan.

– Je ne sais même pas de quoi vous voulez me parler.

Il l'observait d'un regard dans lequel elle nota une lueur d'étonnement. Exactement comme l'infirmier-chef. Elle se regarda dans l'immense miroir qui faisait ressembler la salle de conférence à une classe de danse. Elle était échevelée. Un peu de sang déjà coagulé avait coulé de son genou.

– Que vous est-il arrivé?

Bauer l'avait volontairement attirée dans cette salle impersonnelle, aveugle sur l'extérieur, insonorisée et aux murs recouverts de plaques d'aluminium. Seul le miroir atténuait la sensation d'étouffement que lui procurait ce lieu. Bauer était capable de soutenir une conversation pendant des heures sans bouger, sans même croiser les bras ou poser le pied sur une chaise. Il l'attendait, debout, les bras le long du corps. Rompue à ce type de jeu, Clara refusa de s'asseoir sur le fauteuil qu'il lui offrait d'un geste.

– Ne vous préoccupez pas de ce qui m'est arrivé! Vous avez fait doubler les doses sans mon accord et sans même me consulter!

Lorsque Clara était en colère, sa voix prenait une intonation très basse, contrairement à beaucoup de femmes dont l'irritation se manifeste dans les registres aigus. Bauer fronça les sourcils.

– Je n'ai jamais donné un tel ordre!

Clara était prête à l'altercation. La réponse de Bauer la déconcerta. Il reprit :

– J'ai simplement indiqué à Collins qui, je vous le rappelle, est chargé d'assurer les liaisons entre nous, que je souhaitais accélérer la procédure et passer à des doses plus fortes. Avec votre feu vert, bien entendu. Puisque vous êtes responsable du programme...

Clara resta interdite. Les infirmiers avaient pourtant reçu une note de service et, depuis ce matin, des doses de deux milligrammes étaient injectées aux sujets! Sans qu'elle en soit informée! Le président de la Morgan continuait à lui mentir. Elle le somma de s'expliquer :

– Collins a dû mal interpréter ma pensée, répondit Bauer. Il faudra qu'il s'en explique!

Clara le fixa intensément. S'il mentait, son jeu était admirable. Il paraissait bouleversé et son courroux ne semblait pas feint.

Mais ses nouvelles responsabilités avaient rassuré Clara sur sa valeur. Elle ne serait pas un pion sur l'échiquier. Elle s'exprima en détachant soigneusement chaque syllabe :

– Je suis propriétaire avec l'Institut de cinquante pour cent de la Substance B. Même si c'est vous qui conduisez, je n'hésiterai pas à vous demander des comptes à chaque fois que je le jugerai nécessaire. Les infirmiers, mon assistante même, ont refusé d'arrêter le travail quand je leur en ai donné l'ordre. Il est hors de question que ça se reproduise.

Elle savait qu'il trouverait une réponse. Elle ne tarda pas à venir :

– Les consignes sont les mêmes pour tous. Un directeur de recherches ne peut interrompre l'évolution des travaux sous prétexte qu'il s'oppose à une note de service. Cette manœuvre s'apparenterait à un mouvement de grève pour lequel il existe une procédure définie par les syndicats.

Clara ne put s'empêcher de penser : « Bien joué! » Les arguments de Bauer étaient irréfutables. Mais elle n'en avait pas terminé avec lui. Refusant de se rendre, elle ajouta :

– Pourquoi refusez-vous de me voir? Votre secrétaire prétend que vous êtes injoignable.

Bauer observait son genou. Puis, retrouvant l'attitude glaciale qu'il adoptait lors des négociations difficiles, il poursuivit :

– Je suis un homme débordé. Ma secrétaire a la consigne de filtrer toutes mes communications. Cet ordre s'applique à tout le monde, y compris vous. Mais il vous aurait suffi de faire état du caractère urgent de votre requête pour obtenir un rendez-vous aussitôt.

Il pointa le doigt sur sa jambe.

– Vous devriez faire un saut à l'infirmerie avant de reprendre votre travail. Ces plaies s'infectent vite.

Il s'éloignait déjà. Clara se redressa et l'escorta jusqu'au couloir.

– Et les doses? insista-t-elle. J'exige de revenir immédiatement à un milligramme.

Bauer se retourna.

Il enrageait. Clara Zellmeyer était beaucoup moins souple qu'il ne l'avait supposé. Deux cent mille dollars devaient pouvoir, selon lui, rendre docile n'importe quel chercheur. Y compris cette petite Française. Qu'elle se mette dans un tel état pour une question de dosages – deux milligrammes étaient bien en dessous du seuil thérapeutique présumé – l'énervait prodigieusement.

Mais il n'avait pas de temps à perdre en querelles inutiles. Les recherches se poursuivaient. Il pouvait attendre un mois de plus le résultat des dosages progressifs. Cela ne changerait rien pour la date fatidique du 28 février. Son regard contenait une lueur moqueuse lorsqu'il se tourna vers Clara.

– Vous êtes chargée du programme! Ne vous laissez donc pas intimider par une note de service résultant d'une défaillance administrative.

Il disparut à l'angle du couloir, l'abandonnant à

des sentiments contradictoires. Quelle était la part de vérité dans ses affirmations? Pourquoi aurait-il cédé si facilement s'il lui avait menti? Une fois de plus, Clara avait obtenu ce qu'elle voulait. « Facile, songea-t-elle. Un peu trop facile! »

Résolument, elle regagna la section clinique où ses consultations devaient commencer.

– Au tout début de l'entraînement, dit Guido Rambaldi, on vous fait subir un test pour connaître la solidité de vos nerfs. Le sergent instructeur dégoupille deux grenades et vous en colle une dans chaque main. Puis il vous oblige à glisser les bras dans une sorte de carcan qu'il referme. Vous ne voyez plus vos mains. Et il vous plante là, pendant quatre heures...

Clara serra les lèvres. Elle n'avait que ce qu'elle méritait. Pourquoi s'était-elle mis en tête d'interroger Guido sur son expérience militaire? L'ancien marine éprouvait à présent un réel soulagement à se confier, exorcisant ses démons.

– Une demi-heure, c'est assez facile, poursuivit-il. Puis viennent les crampes. Si vous lâchez les grenades, elles roulent sur le sol et explosent! Le temps de compter jusqu'à six. Un de mes copains a perdu ses deux jambes parce qu'une guêpe est venue se poser sur sa figure. Pendant l'entraînement, le corps des marines est autorisé à cinq pour cent de pertes!

Brusquement, Guido regarda autour de lui. La clinique était d'un calme inhabituel. Il tenta de discerner l'intérieur des autres boxes dans l'image réfléchie par la glace de séparation derrière laquelle s'affairaient plusieurs laborantins.

– Combien les avez-vous payés?

– Pardon? s'étonna Clara.

– Le vieux Gerry. Et Tony Gernat, Sidney Brown... Je connais ces deux-là, on était ensemble à

Da Nang. Depuis, ils passent leur vie à traîner au foyer comme des sacs à bière. Je viens de les voir : on dirait des nouveau-nés s'amusant avec un hochet ou de vieilles grand-mères préparant une partie de bingo. Vous les payez combien pour qu'ils fassent semblant d'aller mieux?

Clara fronça les sourcils. Guido ne cessait de la déconcerter. A chacune de ses visites – « nombreuses, Clara. De plus en plus nombreuses » –, elle le trouvait plongé dans une lecture d'un genre différent. Roman, essai ou ouvrage historique. Guido passait toutes ses périodes d'immobilité forcée le nez dans les livres. Il se laissait volontiers interroger par Clara, parsemait ses récits de détails piquants, puis, soudain, s'interrompait pour se livrer à une réflexion impromptue, surprenante.

– Vous avez toujours l'esprit mal tourné, le tança-t-elle. Pourquoi revenez-vous si vous croyez si peu à ce traitement?

– C'est à vous d'y croire. Pas à moi. Je suis ici pour vous aider. Rappelez-vous...

Dans le box de Guido, Clara était assise sur le rebord de la chaise, un bloc posé sur les genoux. Elle avait souligné ses yeux couleur de menthe d'un trait de Mascara. Cette concession à la coquetterie relevait le charme de son regard. Elle pouvait lire dans l'expression de Guido l'effet qu'elle exerçait. « Depuis combien de temps n'as-tu pas connu d'homme? » pensa-t-elle.

– Docteur Zellmeyer?

Lorsque Guido prononçait son nom, il plaçait un « t » devant le « z » et cela donnait un « Tzellmeyer » plutôt chantant qui amusait Clara.

– Votre programme OSCAR, poursuivit-il. Ce liquide blanchâtre que vous m'injectez dans les veines, comment se nomme-t-il en réalité?

Clara regarda autour d'elle, sur ses gardes.

– Je suis navrée, Guido, mais je ne peux vous le révéler.

L'ancien marine parut déçu.

– Vous savez, ici, tout le monde semble tenu au secret, mais finalement on parle beaucoup.

Il ouvrit le tiroir de sa table de chevet, en sortit un livre et le tendit à Clara. Elle reconnut l'étude d'Ariens, *Molecular Pharmacology*, et s'en étonna.

– J'aime bien comprendre ce que je fais, expliqua Guido. On me l'a jamais pardonné à l'armée.

Il reposa le volumineux ouvrage, ravi de l'avoir impressionnée.

– Ils prétendent – ce « ils » désignait sans doute l'ensemble du personnel du secteur clinique – que votre produit est sans effet secondaire ni risque d'accoutumance. Pourtant, tout neuroleptique, même bénin, entraîne un phénomène d'accoutumance puisqu'il crée un état de bien-être dont le patient devient dépendant.

Clara hocha la tête, amusée. Ainsi Rambaldi voulait jouer aux apprentis savants. Elle ne put cependant que reconnaître une fois de plus l'agilité d'esprit et l'insatiable curiosité de son patient. Elle décida de jouer le jeu.

– Vous avez raison en théorie, répondit-elle. Mais c'est pour cela que la... (elle faillit dire « Substance B » et se reprit), que la molécule ne s'apparente à rien de connu à ce jour. Contrairement aux benzodiazépines classiques et aux antidépresseurs tricycliques qui se substituent aux catécholamines et aux biamines, ce médicament stimule le système catécholaminergique.

Elle s'interrompit, le nez plissé par une moue mutine.

– Je ne suis pas trop technique, au moins?

Guido secoua la tête.

– Jusque-là, mon petit cerveau de pilote vous reçoit cinq sur cinq.

Clara s'amusait de plus en plus.

– Le but de cette molécule n'est pas de calmer les symptômes, mais de guérir. Nous n'avons pas encore établi la durée du traitement. Entre deux et quatre mois comme sur les rats, les chiens ou les singes. Peut-être en quelques jours s'il se produit entre la substance et le métabolisme du patient une harmonie. L'effet devrait être permanent.

Ce fut au tour de Guido d'être stupéfait.

– Après ce traitement, on serait guéri à tout jamais?

– Exactement. Le mécanisme serait trop complexe à décrire mais le système catécholaminergique, stimulé par cette molécule, apprend à la reproduire. C'est ce que nous a prouvé l'étude sur les animaux. Ne m'en demandez pas plus, Guido. Au-delà de ces informations, je suis tenue par le secret.

– Et si ça ne marche pas? demanda Guido. Tous les vétérans qui en auront pris une bonne dose se promèneront jusqu'à la fin de leurs jours avec une saloperie qui leur rongera les veines?

Clara aurait pu répondre que c'était justement pour cela qu'elle tentait d'avancer progressivement. Que malgré les résultats exceptionnellement encourageants de trois années de tests sur les animaux, malgré les milliers de tests de simulation effectués sur des cellules cervicales, malgré la certitude qu'elle avait du parfait comportement de la Substance B dans l'organisme humain, elle ne voulait pas se risquer à administrer la dose clinique de cinq milligrammes avant au moins deux mois. Le temps de conforter son intime conviction grâce aux quatre-vingts vétérans. Elle éprouva un élan de tendresse, de reconnaissance pour ces hommes qui se prêtaient en toute confiance à ses investigations. Mue par l'orgueil, par le désir de lui plaire, elle répondit d'un ton enthousiaste :

– Mais cela marche, Guido! Après quelques jours, quelques semaines, qu'importe! Mais ça marche!

Guido reçut par ces paroles comme une promesse, peut-être, que dorénavant la vie serait pour lui moins mauvaise.

Clara consulta sa montre. C'était l'heure de la première injection.

– Je vous accompagne à votre bureau, proposa Guido, comme si cela allait de soi.

– Vous n'avez pas le droit, vous le savez bien, protesta Clara.

– Avec vous, je peux aller où je veux. C'est vous le chef ici.

Clara céda. Ils traversèrent ensemble le long corridor dans lequel les chambrettes s'alignaient comme des cabines d'essayage. Au passage, Guido salua chacun de ses compagnons. Les anciens soldats ne quittaient pratiquement plus leur lit. Quelques semaines auparavant, il n'était pas rare de les trouver à deux ou trois dans les boxes qui avaient peine à contenir un lit, ressassant leurs souvenirs obsessionnels. Chacun semblait désormais éprouver du plaisir au calme et à la solitude. Certains écoutaient de la musique, l'arc léger d'un walkman collé aux oreilles. Ils répondirent à Guido par un petit signe amical. D'autres lisaient. D'autres encore méditaient, les yeux ouverts, fixant un point indéfini bien au-delà de la baie vitrée. Quelques-uns dormaient. Avant le traitement, ils se plaignaient d'être espionnés. Aujourd'hui ils se savaient simplement observés et ne s'en inquiétaient guère. Guido et Clara se retrouvèrent sur le palier, devant l'ascenseur. Un second couloir conduisait à l'aile principale.

– C'est là qu'on se quitte, dit Clara.

– Y a-t-il des caméras dans ce secteur?

– Non, bien sûr!

Elle appuya sur la touche pour appeler l'ascenseur. Guido s'avança vers elle et l'enlaça. Elle voulut protester, mais il la serrait dans ses bras, fort, écrasait ses lèvres contre sa bouche et la soulevait presque du sol en une étreinte puissante et passionnée.

Clara avait fermé les yeux. L'odeur d'éther et de désinfectant s'estompa. Pendant une seconde le laboratoire disparut tout entier. Puis elle se ressaisit et le repoussa.

– Arrêtez, lui intima-t-elle, le cœur battant à tout rompre. Si on nous surprend, je perdrai tout crédit à la Morgan.

Guido Rambaldi afficha un sourire où la tendresse prenait le pas sur l'ironie. Il tendit la main et lui caressa la joue.

– Au revoir, Clara, souffla-t-il. J'ignore ce que vaut cette découverte pour le bonheur des hommes...

HOBOKEN, LE 11 FÉVRIER

Collins lisait et relisait les dossiers des quatre-vingts volontaires sans parvenir à se décider sur une méthode de sélection. Le temps lui était compté. Il lui fallait agir. Vite. Il se trouvait dans son bureau. Son terminal lui fournissait sans relâche la température de l'entreprise. Il demanda la liste des sujets présents ce jour, le 11 février. Cinquante-sept noms s'inscrivirent. Cela diminuait sensiblement les recherches.

Il élimina systématiquement les candidats âgés de plus de quarante ans. Il en restait trente et un. C'était encore trop. Il n'avait besoin que de trois hommes. Il passa encore deux heures à éplucher leur dossier, leurs motivations, leur situation financière. Il ne pouvait se permettre d'essuyer le moindre refus.

Il attendit le départ de l'équipe de jour, dont Clara Zellmeyer, pour convoquer les trois vétérans sur lesquels s'était porté son choix. L'un parce qu'il n'avait pas de famille, le deuxième parce qu'il était joueur, le troisième parce qu'il désirait amasser assez d'argent pour acquérir un hélicoptère et se mettre à son compte. Très vite... Les trois hommes avaient appartenu à la même unité. Collins jugea cet élément positif, une sorte de garantie. S'il parvenait à convaincre l'un d'entre eux, il y avait de fortes chances pour que les deux autres suivent.

Collins les accueillit dans son bureau. Il jouait de son prestige. La plaque indiquant sa fonction de « Directeur administratif » au-dessus de son titre de docteur ne pouvait que les rassurer.

– Etes-vous confortablement assis?

– Oui, merci!

– Vous traite-t-on correctement à la section clinique?

– Oui, tout à fait!

– Vous êtes donc satisfaits de participer à cette expérience?

– Oui.

– Peut-être préféreriez-vous gagner plus d'argent pour une collaboration similaire?

– Oui, encore OUI. Qu'avez-vous à nous proposer?

– Vous gagnez mille dollars par jour. Seriez-vous prêts à en gagner deux mille en subissant quelques contraintes supplémentaires?

« Tout homme a son prix! » Cette phrase aurait pu être inventée par Franck Bauer. Collins fut ravi de la voir si facilement appliquée. Il n'avait besoin d'eux que pour trois semaines. Il leur offrit quarante-deux mille dollars chacun.

Guido, le premier, se pencha vers lui, l'air soupçonneux, et demanda :

– Qu'attendez-vous de nous exactement? Et ne

nous racontez pas d'histoires! Vous n'allez pas nous filer plus de quarante-deux mille dollars pour nous prendre la température.

Collins était à son affaire. Il prit l'air contrit du responsable acculé par les impératifs administratifs.

– Votre température aussi, mais cinq fois par jour pendant trois semaines sans quitter le laboratoire. A ce stade des recherches (et il commença à mentir), nous avons la preuve que le médicament est sans danger. Cependant, la Food and Drug Administration exige un dossier plus complet. Vous avez entendu parler de la F.D.A.?

Les trois vétérans ne connaissaient rien à la procédure d'autorisation de mise sur le marché des nouveaux médicaments. Collins la leur expliqua, ajustant les textes à son objectif.

– Nous sommes obligés, conclut-il, de choisir trois sujets d'expérimentation sous conditions réelles de traitement. Parmi tous les autres, j'ai retenu vos dossiers. Plusieurs autres vétérans pourraient faire l'affaire si vous refusez mon offre...

Cette dernière phrase déplut à Guido. Elle recelait un parfum de pression, de chantage même. Mais Collins paraissait sûr de lui, détendu. N'était-il pas un scientifique de haut niveau? Et puis Clara ne l'avait-elle pas affirmé elle-même? « En aucun cas ce médicament ne pourra vous faire le moindre mal! » Méfiant, il demanda :

– Pourquoi est-ce vous qui nous faites cette proposition et non pas le docteur Zellmeyer?

Collins s'attendait à cette question. Il avait préparé sa réponse :

– Je suis le directeur administratif des laboratoires Morgan Chemical. Les chercheurs, dans notre société, ne sont pas habilités à négocier de pareilles sommes. Il va sans dire que cette expérience parallèle sera supervisée par le docteur Zellmeyer.

Guido se tourna vers ses deux compagnons : Tony

Gernat, un rouquin du Kentucky qui avait participé à une douzaine de raids comme sous-officier de liaison à bord du même hélicoptère. Les deux hommes s'étaient toujours bien entendus. Ils s'étaient retrouvés au foyer du général Westwood. Rien n'aurait laissé supposer que Tony abandonnerait son Kentucky natal pour tenter de refaire sa vie à New York. Existence sans grand attrait d'ailleurs : l'ex-fermier, orphelin, célibataire, avait vite été englouti par Manhattan, ne survivant que grâce à sa pension d'invalidité. Il avait perdu en partie l'usage de sa jambe droite lorsque le Sea Stallion de Guido s'était écrasé. Il traînait à longueur de journée avec les vétérans désœuvrés du dock est. Le sergent Sidney Brown était un Noir jovial dont la constante bonne humeur cachait les séquelles d'une longue captivité. Il avait passé huit mois enfermé dans une de ces cages à fleur d'eau dans lesquelles les Vietcongs adoraient voir patauger leurs prisonniers. Son dos n'était qu'une large plaie depuis le jour où un officier communiste s'était amusé à l'écorcher pour vérifier si l'épiderme des Noirs ne cicatrisait pas d'une autre couleur. Il avait appartenu, comme Tony Gernat, à la même unité que Guido.

Les deux sous-officiers semblaient tentés par la proposition de Collins. Mais ils attendaient visiblement la réaction de leur ancien lieutenant. De tous, il était le seul à avoir retrouvé une situation stable, et cette prouesse comptait presque autant à leurs yeux que la réputation d'invulnérabilité dont il était auréolé.

– Qu'en pensez-vous, les gars?

– Quarante-deux mille billets! s'emballa Tony. Je veux bien me laisser enfermer deux mois pour une somme pareille!

Plus circonspect, Sidney répondit :

– Tu es sûr que cette drogue ne va pas nous transformer en monstres de foire?

Guido se retrouvait dans une situation qui lui était familière : prendre une décision au nom du groupe. Quarante-deux mille dollars représentaient une belle somme. Un pas de plus vers la réalisation de son rêve. Il possédait déjà seize mille dollars. Le Piper Cherokee qu'il convoitait lui serait sans doute cédé pour soixante-dix mille. C'était un monomoteur quatre places appartenant à une maison de production de films publicitaires. Guido se rendait fréquemment à La Guardia, aéroport mixte dans lequel il lui arrivait de louer un coucou pour une heure ou deux, histoire de s'évader, de renouer avec son passé. Le Piper Cherokee avait deux ans, mais le moteur venait d'être changé, et il pouvait donc voler encore plus de dix mille heures. Peut-être la société de production lui ferait-elle crédit pour les douze mille dollars restant à couvrir. Dans un mois, avec un peu de chance, il pourrait en prendre possession. Il se décida :

– Moi, je marche.

Ses deux compagnons parurent soulagés. Ils n'eurent désormais d'intérêt que pour les modalités de paiement proposées par Collins. Celui-ci leur présenta les documents à signer. Il profita de cet instant pour ajouter :

– Les quarante-deux mille dollars seront versés d'avance à vos comptes, dès demain matin. L'expérience commence ce soir même. Vous serez transférés dans un autre secteur du laboratoire.

Tony, Sidney et même Guido signèrent le contrat sans même le lire. Il était stipulé, en petits caractères, qu'ils acceptaient sans restriction de prêter, de leur vivant, leur corps à la science. Et qu'une substance leur serait inoculée quotidiennement.

Par doses de dix milligrammes...

NEW YORK, LE 21 FÉVRIER

Clara se réveilla en sursaut et ne comprit pas ce qu'elle faisait là, enfoncée dans un fauteuil pourtant familier et entourée d'objets qui n'auraient pas dû se trouver dans sa chambre. Un terminal d'ordinateur, plusieurs téléphones, des piles de documents... Elle mit quelques secondes à prendre conscience qu'elle se trouvait dans son bureau. Elle consulta aussitôt sa montre. Elle avait dormi un quart d'heure. La journée ne faisait que commencer. Ça ne lui était jamais arrivé. Etait-elle à ce point fatiguée?

La machine à café lui faisait face, comme dans tous les bureaux de toutes les entreprises américaines. Elle s'en servit un plein gobelet, sans sucre, le but d'un trait, s'en servit un second et savoura lentement cet étrange liquide. Elle hésita entre deux appréciations : mauvais ou très mauvais.

Difficile, cette dernière semaine. Elle devait analyser chaque jour près de deux cents rapports. Quinze heures n'y suffisaient plus, même en s'y mettant le week-end. Une course contre la montre. Clara aurait aimé pouvoir déléguer une partie de sa tâche, mais à qui faire confiance depuis l'incident des doubles dosages? Désormais, elle supervisait les recherches menées par tous ses assistants, Meryl Milligan incluse.

On observait déjà des résultats encourageants sur quarante des sujets, malgré les quantités infimes de Substance B qui leur avaient été administrées. Les tests psychométriques sur les dix-sept critères choisis étaient positifs.

Mais n'était-ce pas l'environnement, le calme, la prise en charge physique et morale qui leur procuraient ces améliorations déjà sensibles, le célèbre effet « nursing »?

A ce stade des recherches, il était difficile de différencier l'effet réel de la substance de l'effet placebo. Cette première étape avait étayé l'intime conviction de Clara : la Substance B n'avait pas plus de nocivité sur l'être humain que sur les animaux.

Elle se souvint d'une question de Guido Rambaldi. « Si votre médicament guérit vraiment le mal de vivre, pourquoi ne l'avez-vous jamais essayé sur vous-même? » Elle n'avait pas trouvé de réponse satisfaisante. Délicat de dire à un patient qu'on a une disposition naturelle pour le bonheur. En était-elle si sûre aujourd'hui? Elle était tellement fatiguée. Epuisée même. Si quelque chose pouvait lui faire du bien, en dehors de la Substance B devenue obsessionnelle, ce serait de dormir. Juste dormir. Reprendre des forces.

Elle se servit une troisième tasse de café. Personne n'était entré dans son bureau pendant son court repos. Pourtant, les dossiers paraissaient s'être accumulés. Pourquoi entasser tant de paperasse alors que l'écran magique, scintillant de lettres vertes, était capable de reproduire en un clin d'œil des millions de données. Il y avait des chemises plastiques, bordées de vert, provenant du département d'analyses médicales. Les chemises jaunes, étiquetées au nom des sujets d'expérimentation. Les dossiers cartonnés et sanglés dans lesquels les doubles de chaque document étaient classés avant que les assistants de Collins ne les redistribuent et ne les expédient à la F.D.A. Il y avait encore les enveloppes jaunes du département biologique, les bleues de la section biochimique... Et chaque jour, des dizaines de laborantins, d'informaticiens nourrissaient l'insatiable ordinateur central, codant les données de manière à en permettre l'accès aux seuls responsables du programme.

Clara posa son gobelet vide près du terminal. « Mardi 21 février », annonçait le calendrier à cristaux liquides. Et Guido Rambaldi n'était toujours pas revenu! Clara consulta une fois encore la liste des sujets d'expérimentation inscrits le matin, espérant y trouver le nom de l'ancien marine. Deux fois par semaine, la liste changeait. Les sujets ne restaient que quarante-huit heures, aussitôt remplacés par d'autres. De même que le lundi et le vendredi précédents, le nom de Guido n'y figurait pas.

Clara s'en voulut de son inquiétude. « Qu'il aille se faire foutre!... » Cette pensée la fit sourire malgré sa tension nerveuse.

Le numéro de téléphone de Rambaldi apparut sur l'écran. Elle le composa aussitôt. Déclic. Une voix nasillarde lui répondit. Sans doute la Vietnamienne.

Il avait disparu depuis dix jours. Sans donner le moindre signe de vie. L'inquiétude la gagna. Il lui était sûrement arrivé quelque chose.

Clara Zellmeyer n'était pas la seule à s'inquiéter de l'absence de Guido Rambaldi.

Don Pfeiffer, en état d'alerte, partit lui aussi à sa recherche. Il lui était arrivé fréquemment de retrouver l'Italo-Américain au bar du foyer.

– Vous en faites pas, le rassura le barman. Ça lui prend de temps en temps. Il se loue un coucou et il disparaît en Floride ou ailleurs. Une fois, il s'est même payé le voyage jusqu'en Californie en trois étapes avec un monomoteur dont la vitesse de croisière plafonnait à cent vingt miles.

Les Vietnamiens de la blanchisserie avaient confirmé cette hypothèse. Leur « pat'on » les avait appelés, dans la nuit du 11, pour leur annoncer son départ, mais pas sa destination. Depuis, ils gardaient la boutique. « Si vous le voyez avant nous, dites-lui que Gambo n'a toujours pas payé sa facture. Il comprendra. »

Don Pfeiffer accepta le verre que lui offrait le barman. Il avala une gorgée de Southern Comfort en réprimant une grimace de dégoût sous l'œil amusé de l'ancien cuistot. Ça lui apprendrait à rouler, à cette espèce de curé. Finalement, Don Pfeiffer vida son verre d'un trait. Il mènerait sa mission à bien. Il allait se battre. Et gagner. Il commanda un autre Southern Comfort...

Don Pfeiffer était l'égal des meilleurs « raiders », ces requins de Wall Street. Dans l'intérêt supérieur de l'Eglise, il n'hésitait pas à utiliser leurs méthodes : en surfant adroitement entre les flous juridiques et les manœuvres comptables, il savait utiliser les propres actifs d'une compagnie pour en prendre le contrôle. Habitué aux affrontements les plus sanglants, se frottant constamment aux ennemis les plus redoutables, Don Pfeiffer pouvait aisément se mettre à la recherche de Guido et, dans le même temps, décider de la meilleure stratégie pour s'approprier la Substance B.

Le moment était propice. Jamais les actions de la Morgan Chemical n'avaient atteint une cote aussi basse. Don Pfeiffer dépêcha des télex à trente établissements financiers répartis dans le monde entier. Ses ordres : acquérir des actions de la Morgan Chemical par petites quantités. Chacun de ces opérateurs les achèterait pour le compte d'une compagnie dont Don Pfeiffer leur indiqua la domiciliation. Ainsi, trente écrans protecteurs étaient en place. Chacune de ces sociétés céderait ensuite la totalité de ses actions à une société unique, inconnue d'elles. Aucun lien juridique n'existait entre ces trente sociétés relais, sauf un seul. Impénétrable, secret... Mais les gros porteurs ne se laisseraient pas faire. Dix-huit d'entre eux détenaient soixante-treize pour cent des actions. Et ceux-là étaient évidemment informés des profits colossaux que la Substance B allait rapporter. Leurs actions monteraient en flèche dès que la Food and Drug Administration donnerait son feu vert.

Le Vatican devait agir très discrètement. Se dévoiler avant d'acquérir le contrôle ferait échouer l'opération.

NEW YORK, LE 28 FÉVRIER

Franck Bauer et Oram se retrouvèrent le 28 février. A la date prévue.

Ce jour-là, le rendez-vous eut lieu dans la somptueuse résidence new-yorkaise d'Oram, sur Palissade Avenue, l'un des quartiers les plus huppés de « Big Apple ». Les doses de Substance B avaient été livrées par Franck Bauer lui-même. Elles remplissaient trois containers d'aluminium, vierges de toute inscription. « Voilà les échantillons », avait simplement annoncé le président de la Morgan.

Et les containers étaient alignés sur le dallage en marbre du salon démesuré.

Un simple coup de téléphone d'Oram et cent millions de dollars avaient transité d'une banque panaméenne au compte de la Morgan Chemical. Dix mille doses de cinq milligrammes sous forme de poudre, contenues dans dix mille gélules bleues à mille dollars l'unité, elles-mêmes enfermées, par trente, dans des flacons de verre sans étiquette! Bauer avait pris congé d'Oram, non sans l'avoir rassuré une dernière fois : « Nous l'avons expérimentée à forte dose sur trois sujets. Ils se portent admirablement bien... »

Oram avait attendu le départ de Bauer. D'un container, il avait extrait trois cents bouteilles. Avec l'aide d'un de ses « gardes célestes », il les avait rangées dans une simple valise. Puis il avait enfermé les sept mille échantillons restants dans le coffre inviolable de sa chambre forte.

C'était la drogue la plus chère du monde. Mais le

contrat prévoyait le versement de trois cents millions de dollars supplémentaires en échange, cette fois, d'un million de gélules. Une moyenne raisonnable. Au-delà de l'exaltation éprouvée par la possession d'une substance révolutionnaire en si grande quantité, Oram entrevoyait l'avenir avec optimisme.

Deux cent mille adeptes environ, répartis sur trois continents, lui rapportaient chaque mois près de cinq millions de dollars. Quêtes, ventes de bibelots, mendicité, diffusion de fascicules. Parfois un « échange physique ». Comme les adeptes de Krishna, les Oramistes avaient dans leurs rangs quelques « petits poissons flirteurs ». Autrement dit, des prostituées. Pour la cause. Oram ne maîtrisait pas encore tout à fait le management de son entreprise, tant sa croissance avait été fulgurante.

Il saisit un flacon de trente pilules, l'ouvrit, et, sans plus de cérémonie que s'il s'était agi d'une aspirine, absorba une première gélule.

De l'autre côté de la rangée d'arbres, au bout d'un terrain en friche, s'édifiait une demeure bien plus vaste que la sienne. En fait, un véritable château, érigé sur six hectares de verdure. La résidence new-yorkaise de Sun Myung Moon! Oram n'avait pas choisi cet endroit par hasard. La proximité du grand Moon le galvanisait. Il le considérait comme son maître, son exemple, le seul de ses contemporains pour lequel il éprouvât un respect teinté d'admiration bien qu'il ne l'eût jamais rencontré.

L'entreprise mooniste était une des plus florissantes de la planète. Peut-être parmi les cinquante principales multinationales privées. Elle s'était implantée partout : industries lourdes en Allemagne, banques aux Etats-Unis, monopole de la vente du poisson au Japon, diffusion du ginseng – la racine miracle – à travers tous les pays du monde libre... Une entreprise réalisant près de cinq cents millions de profit net par an répartis sur une multitude de sociétés écrans, de trusts et d'affaires de sous-traitance. La réussite telle que l'imaginait Oram.

Et désormais, Oram détenait quelque chose d'infiniment plus précieux qu'une prétendue racine miracle. Autre chose que des plantes, des amulettes, des gris-gris ou la promesse d'une vie meilleure dans l'au-delà. Un million de pilules pouvaient représenter un million d'adeptes auxquels il apporterait la félicité. Oram sourit.

Il trouva étrange l'enthousiasme tout neuf qu'il ressentait. Un enthousiasme qui lui parut pourtant mesuré, réaliste. A condition que Bauer ne l'ait pas trompé! A l'instant où Jonathan Greenfield, alias Oram, se sentait gagné par le doute, un sentiment inconnu l'envahit et gomma l'inquiétude que son soupçon avait fait naître. Deux heures s'étaient écoulées avant que la Substance B ne l'amène à un état de vie intense, de total abandon, d'accord parfait avec son propre corps. La peur de se dégrader, de vieillir ou de mourir avait disparu. Et cet instant durait! Et aucune de ses facultés mentales n'était altérée! Au contraire! Toute son énergie se canalisait enfin dans les buts positifs qu'il s'était tracés, sans peur, sans hésitation... Franck Bauer ne l'avait pas trompé!

PIEDRAS NEGRAS, GUATEMALA, LE 3 MARS

On l'appelait sœur Isima. Elle prétendait avoir vingt ans, mais son visage poupon, auréolé de mèches dorées, ses lèvres boudeuses et ses yeux couleur rivière affichaient seize ans tout au plus. Elle s'appelait en fait Dorothy Smith et avait dix-huit ans.

Ils étaient tous ses frères. Icam, le pêcheur au corps d'Adonis californien, Otis, le penseur, Dim-Tasa, l'ex-étudiant en architecture qui avait conçu le piédestal, et deux cents autres. Tous! Qu'ils se nomment en fait John, Christopher, Gerry ou Donald... et même Oram, qu'ils attendaient et qui viendrait bientôt du ciel, tel qu'il l'avait prédit.

Sa pensée était aussi pure que le cristal dont émanait la vibration sacrée. Oram attribuait à chacun de ses disciples un nouveau nom dont la fréquence sonore correspondait à un état de conscience. Sœur Isima savait cela et, lorsqu'elle en parlait à la tribu réunie en cercle à ses pieds, encore nus lorsqu'ils venaient de faire l'amour ou simplement vêtus de quelques lianes tressées, personne n'aurait songé à se moquer.

Oram leur avait appris que l'homme devait franchir les cinq plans de sa conscience avant d'atteindre la béatitude, qu'ils étaient Amour sans s'appartenir et que la Passion se situait dans les plans inférieurs car elle était destructrice. Il leur avait enseigné comment canaliser leurs énergies, leur faire franchir les cinq barrières et partir ailleurs, loin, pour se fondre dans l'Harmonie universelle.

Certains y parvenaient et racontaient aux autres leur voyage. La plupart en étaient encore à leurs premiers pas. Mais ils étaient heureux et vivaient dans l'espérance de rejoindre les Elus d'Oram. La religion d'Oram était une synthèse. Elle puisait le meilleur de toutes les autres. La croix n'était pas le symbole d'un fils divin torturé, mais la représentation de la rencontre mystique entre l'horizontalité et la verticalité. L'étoile de David exprimait le principe de l'infiniment petit croisant l'infiniment grand... Oram allait les emmener encore plus haut, promettait sœur Isima. Bientôt Oram viendrait du ciel, apportant avec lui la quintessence de la substance divine.

De par le monde, des centaines, des milliers d'Oramistes, de plus en plus nombreux, atteindraient la sagesse. Ils offriraient la Substance contre un peu d'argent, car il était établi que l'échange était la base de tout. L'argent renfermait une énergie qu'il ne fallait pas négliger. En attendant, ils – les deux cents, les Elus – seraient les premiers à y goûter.

La piste d'atterrissage de Flores ressemblait à une langue de terre battue. Ses contours capricieux sortaient d'une bouche gigantesque et rieuse dessinée par les bordures du lac Peten Itza. La ville elle-même, curieuse petite bourgade de quatre mille habitants, était construite sur un îlot écrasé par le soleil, rattaché à la rive par un pont unique menant à ce que les habitants du cru nommaient pompeusement l'« aéroport ».

La compagnie aérienne guatémaltèque Aviateca ne desservait plus Flores depuis si longtemps que les paysans de la région ne se souvenaient pas d'y avoir vu atterrir un avion de la ligne régulière. L'Alouette flambant neuf suscita donc un vif intérêt de la part de l'unique employé. Sa tâche consistait essentiellement à empêcher les mauvaises herbes d'envahir la piste.

Un ventilateur brassant l'air lourd et humide vers son visage, il dormait tranquillement, sacrifiant à la tradition de la *siesta*, lorsque les rotors soulevèrent un nuage de poussière devant sa cabane. Les mouches indolentes, agglutinées sur la moustiquaire hors d'usage, s'envolèrent en bourdonnant.

Le Guatémaltèque se rua à l'extérieur. C'est-à-dire qu'il commença par s'étirer, se frotter les yeux pour s'assurer que la vision métallique n'était pas le fruit de son imagination, puis il se coiffa d'un vieux sombrero et s'extirpa de la cabane.

Il était 2 heures de l'après-midi. Les rayons du

soleil ressemblaient à des massues aveuglantes. Aussi loin que portait le regard, l'herbe était calcinée. Le niveau du lac avait baissé au point de découvrir un sol craquelé, où seuls les cactus candélabres parvenaient à survivre. L'appareil était immatriculé à Cancun, Mexique. Il avait donc traversé la frontière.

Le grondement des pales cessa. Oram descendit de l'hélicoptère. L'employé sourit. Un gringo, sans aucun doute. Qui d'autre se vêtirait de la sorte? Une cape blanche jetée sur un poncho du même blanc immaculé! Et ce bout de verre qui pendait à son cou... Il devait valoir une fortune! L'employé marcha au-devant de lui.

– Coca-Cola, señor? Gazolina? Souvenir?

– Faites-nous juste le plein, cria le pilote qui, malgré la chaleur régnant dans l'habitacle, ne daigna pas en sortir.

Oram avança d'un pas, posa sa main sur l'épaule du Guatémaltèque et l'enveloppa d'un regard caressant.

– Ce pays est magnifique, dit-il.

Sa voix coulait comme une source claire. L'employé de l'« aéroport » cligna des yeux devant le paysage désolé. Mais l'homme en poncho blanc semblait convaincu de sa beauté.

– Si, señor! Muy bonito!

– Allons voir tes souvenirs, dit encore Oram. Je veux t'apporter quelque bonheur en t'achetant tes bibelots.

L'employé le dévisagea. « Marijuana? » s'interrogea-t-il. Mais les pupilles de l'homme en blanc n'étaient pas dilatées. Il paraissait sûr de lui. Cette étrange sérénité mit le petit Guatémaltèque mal à l'aise. Il se dégagea de l'étreinte un peu trop chaleureuse à son goût et se força à lui rendre son sourire.

– Dollars o pesos? demanda-t-il, retrouvant le sens des réalités.

Depuis trois jours, Oram vivait dans un monde nouveau, fait de certitudes et de volonté.

Le voyage jusqu'à Piedras Negras via Cancun et Flores s'était déroulé dans cette euphorie souveraine qu'il lui faudrait apprendre à contrôler. Dans sa poche, le flacon entamé ne contenait plus que deux pilules. Lorsque la portière de l'hélicoptère s'ouvrit, cent adolescentes semèrent devant ses pas des pétales de fleurs multicolores. Un cri d'allégresse s'élevait de toutes les gorges, filles et garçons confondus. Il faisait chaud. Très chaud.

Oram était heureux et allait faire partager son bonheur. Il avança vers ses Elus, sa main tenant étroitement la poignée de sa valise. Elle contenait trois cents flacons de Substance B.

HOBOKEN, LE 3 MARS

L'unique tableau accroché au milieu du mur tapissé de bleu était la reproduction parfaite d'une toile de Gauguin exposée au Metropolitan Museum, *La Orana Maria*. Trois Tahitiennes, les seins nus et les pieds effleurant miraculeusement la surface d'une rivière, contemplaient avec dévotion une indigène portant son fils et dont l'auréole soulignait l'origine divine : une vision impressionniste du Christ et de Marie dans une débauche de lumières et de couleurs, sur fond de bougainvillées fleuries et d'offrandes exotiques.

La reproduction se trouvait là par hasard. Unique fenêtre sur le monde extérieur, elle enrichissait la vie des trois hommes de réflexions et de brusques élans de joie dans l'espace aménagé en salle d'expérience.

Dix-huit jours déjà en vase clos. Guido Rambaldi la connaissait dans ses moindres détails et ne se lassait pas d'échanger commentaires et appréciations avec Sidney Brown. Face à la toile, les deux hommes communiaient. La races étaient enfin abolies, et ce dans la plus grande gaieté. Tout autre eût souffert de cet univers confiné, de cet internement qui semblait ne pas devoir finir. L'air, pulsé par un climatiseur, maintenait une température égale. Rien d'autre dans la chambre commune que trois lits, un réfrigérateur abondamment garni, une pile de livres (demandés par Guido) et une table entourée de trois fauteuils sur lesquels les vétérans passaient des journées entières à converser.

Et le tableau.

Pourquoi chercher ailleurs le bien-être dans lequel ils baignaient désormais? Deux fois par jour, ils recevaient la visite de Jimmy Collins qui procédait aux injections : dix milligrammes de Substance B chaque fois.

Tout d'abord, Jimmy s'était contenté d'opérer hâtivement, repartant sitôt l'injection faite et les tests achevés. Seul avec les trois hommes, il était visiblement mal à l'aise. Puis il avait prolongé ses visites. Il leur apportait les livres qu'ils demandaient, les journaux du jour, leur servait les repas. Il avait même fini par les partager avec eux.

Désormais, Jimmy Collins faisait partie de cette étrange communauté. Mais il n'était pas près d'oublier la première séance! Il était nerveux. Les trois vétérans, tout aussi à cran que lui, n'avaient rien fait pour lui faciliter la tâche. Si Collins éprouvait quelque appréhension à l'idée de la responsabilité qu'il était en train de prendre, Guido, Sidney et Tony quant à eux prêtaient leurs corps, comme le stipulait le contrat. Et aucune parole amicale, dont Jimmy était même devenu avare, ne parvenait à les rassurer tout à fait.

– Pourquoi n'est-ce pas le docteur Zellmeyer qui s'occupe de nous? avait demandé Guido, manifestant des signes de nervosité tandis que Collins préparait les seringues.

– Nous avons un nouvel arrivage de volontaires, avait menti Collins. Clara Zellmeyer est débordée. Elle viendra plus tard, peut-être demain.

Clara n'était jamais venue.

Les trois hommes s'étaient étendus sur leurs lits, le corps hérissé de fils et de tuyaux dont Collins leur avait sommairement expliqué l'usage. Les électrodes étaient en fait des « capteurs » et la quasi-totalité de leurs fonctions vitales étaient reliées à un ordinateur à l'instar des unités de soins intensifs. Leur température interne et externe, leur pression artérielle, leur rythme cardiaque, la composition de l'air qu'ils respiraient, leur débit ventilatoire, étaient ainsi surveillés sans relâche. A la moindre alerte, il était facile de leur administrer un traitement de première urgence. Mais il n'y avait pas eu d'alerte.

Le cœur des trois hommes avait inscrit le même tracé, tandis que l'électro-encéphalogramme décrivait graduellement des synopses correspondant à l'état de sommeil sous euphorisant. La Substance B avait produit son effet habituel. En moins d'une heure, les vétérans étaient passés d'un état de tension et d'anxiété à celui de totale quiétude.

En moins d'une heure, ils avaient découvert le sens du mot « bonheur » de façon si peu artificielle qu'ils se demandaient si la moindre substance chimique leur avait réellement été administrée.

Depuis dix-huit jours, Collins les gavait de Substance B. Ils n'avaient besoin de rien d'autre et se contentaient de se projeter dans l'avenir sans hâte ni appréhension. Imperceptiblement, les trois hommes s'étaient mis à associer le neurologue à leur nouvel état.

Lorsqu'ils évoquaient leur passé commun, Da Nang, Ke-San, Pnom-Penh, les raids, le napalm, le crash de l'hélicoptère, les trois vétérans le faisaient désormais avec un froid recul, se remémorant même certaines scènes sous leur seul aspect positif.

Et ils riaient...

Puis vint le 3 mars. Ce jour-là, Guido se décida enfin à confier à ses compagnons le projet qu'il mûrissait depuis deux semaines déjà.

Tony somnolait. Sidney écoutait Erik Satie, les oreilles collées aux écouteurs de son walkman. Guido les appela et, sans préambule, leur demanda ce qu'ils allaient faire une fois sortis du laboratoire.

– Nous possédons vingt et un mille dollars chacun, ou soixante-trois mille dollars à nous trois, précisa Guido. Qu'est-ce que vous allez faire de votre argent?

Tony et Sidney voyageraient, prendraient du bon temps, après... Eh bien... On verrait...

Le regard brillant, Guido leur proposa :

– Et si on s'associait?

Guido leur exposa son idée. Son intention première était d'utiliser ses propres fonds à l'acquisition d'un avion. Mais il y avait mieux à faire. Pourquoi ne pas acheter un hélicoptère – il connaissait un Bell Jet Ranger à vendre, presque neuf –, se constituer en société et proposer des excursions aux touristes? Visite du grand New York, du New Jersey, jusqu'aux chutes du Niagara. La demande était trop importante pour les compagnies privées existant déjà.

Plus il avançait dans ses explications et plus les deux autres s'animaient, ils possédaient en fait près de cent cinquante-trois mille dollars. Suffisamment pour jeter les bases de leur nouvelle activité. Ils obtiendraient un leasing pour l'achat de l'appareil et pourraient même en acquérir un deuxième d'ici peu. Ils auraient un bureau à Manhattan. Sidney le dirigerait, tandis que Tony et lui-même piloteraient les appareils...

Ils étaient d'accord. Sans crainte ni réticence. De quoi auraient-ils eu peur?

Lorsque Collins les retrouva, ils venaient de jeter les bases de leur association sur le papier. Le neurologue fut accueilli avec chaleur.

– Jimmy, viens par ici et donne-nous ton avis, s'exclama Guido. Où est-ce qu'on implante un bureau de réservation? Près de Time Square ou vers Central Park?

Collins fut rapidement informé du projet et, tout en l'approuvant, ne manifesta que peu d'enthousiasme. Ses sentiments à l'égard des trois hommes étaient confus. La confiance qu'ils lui témoignaient, ajoutée à leur reconnaissance, aggravait son sentiment de culpabilité. Hormis Franck Bauer, pour qui les trois vétérans n'existaient pas plus que les rats de laboratoire, il était le seul à connaître leur existence dans les sous-sols de la Morgan Chemical. Il était le seul témoin de la réussite de Clara Zellmeyer. Mais au prix de quels risques!

Le poids de sa responsabilité se faisait d'autant plus sentir que Guido, le premier, Tony et Sidney, par la suite, l'avaient adopté comme un véritable ami. Un complice. Qu'était-il d'autre qu'un complice, d'ailleurs? Mais de qui? De Bauer qui l'avait poussé à leur mentir? De Clara qui ignorait totalement le succès de la Substance? Ou bien des vétérans dont il partageait la vie et les secrets depuis dix-huit jours?

Confronté à ce dilemme, Jimmy Collins préféra se tenir à l'écart. Il prépara une fois de plus ses seringues, laissant Guido peaufiner la rédaction de son projet d'association. L'attitude du neurologue intrigua ce dernier.

– Que se passe-t-il, Jimmy? Tu nous approuves mais tu n'as pas répondu à ma question...

Le nez dans sa mallette, Collins tenta de se concentrer sur ses instruments. Sa main tremblante ne parvint pas à fixer l'aiguille de la première seringue. Elle se tordit lorsqu'il voulut prélever le liquide dans l'ampoule. Il jura.

– Jimmy, tu n'as pas l'air en forme aujourd'hui?

Cette fois c'était Tony, le rouquin boiteux, qui s'inquiétait de son état. Collins releva brusquement la tête.

– Guido, répondit-il d'une voix chargée d'émotion, tu ne me demandes plus pourquoi Clara Zellmeyer ne s'occupe pas de vous personnellement?

– Non. Je ne te le demande plus.

Le regard du neurologue se fixa sur lui, douloureusement. Il s'apprêtait à poursuivre. Cette fois, il allait leur dire. Il n'avait aucune raison de mentir à ces hommes plus longtemps. Mais Guido l'en empêcha.

– Je ne te le demande pas, car je sais qu'elle ne viendra pas. Elle ignore que nous sommes là. D'ailleurs, à part toi, personne ne le sait dans le laboratoire!

– Depuis quand... le sais-tu? demanda Collins, bouleversé.

– Il ne nous a pas fallu longtemps pour comprendre. Dès le deuxième jour, en fait.

Il s'approcha du neurologue et lui posa la main sur l'épaule.

– Ne fais pas cette tête-là! On aurait dû t'en vouloir de nous avoir menti. Mais l'expérience est un succès, n'est-ce pas? Clara refusait de passer plus vite à des doses trop fortes, alors vous avez pris l'initiative d'accélérer les recherches. Derrière son dos. Un sale coup! Et si les choses s'étaient mal passées, on t'aurait probablement fait porter le chapeau!

Malgré l'expression chaleureuse du vétéran, Collins ne parvenait toujours pas à sourire.

– Pourquoi n'avez-vous pas protesté?

Guido se tourna vers ses compagnons. Ils paraissaient hilares. Chaque nouvel élément de leur vie était devenu un jeu. Même la trahison du neurologue.

– Regarde-nous! s'enthousiasma Guido. Regarde Tony! Sa patte folle le fait marrer maintenant. Les chirurgiens de l'armée l'ont charcuté trois fois sans parvenir à lui en rendre l'usage. Mais il lui reste une jambe intacte. Il se dit qu'il aurait pu perdre la vie dans le crash et ne jamais connaître la Substance B. Sidney ne parle plus de son dos que pour décrire la tête de l'officier vietcong lorsqu'il lui a craché à la gueule à la fin de sa torture. Et moi, bon sang! Mon existence m'apparaît clairement désormais. J'aime une femme, Jimmy. Je pensais qu'elle m'excitait seulement, comme beaucoup d'autres. Mais je l'aime. Et ton mensonge lui a permis de faire un bond de six mois dans ses recherches...

Collins eut du mal à comprendre. Parlait-il de Clara?... Mais oui, bien sûr. La Substance B, en annihilant ses inhibitions, lui rendait son innocence. Il exprimait ses sentiments sans gêne ni tabou. Guido était amoureux de Clara Zellmeyer!

Le neurologue laissa échapper un soupir de soulagement.

– Je suis heureux que vous le preniez ainsi!

– Parfait, s'exclama Guido. Maintenant que tout est clair entre nous, j'attends ta réponse!

Collins fronça les sourcils.

– Quelle réponse?

Guido fouilla dans sa mallette et lui tendit une nouvelle ampoule de Substance B.

– Central Park ou Time Square?

PIEDRAS NEGRAS, GUATEMALA, LE 5 MARS

L'obscurité était constellée de taches de lumières mouvantes. Deux cents torches plantées dans le sol se consumaient dans un joyeux crépitement de résine, dégageant une fumée qui se mêlait au parfum des azalées et des cyclamens.

Depuis deux jours, les Elus vivaient dans l'allégresse. Oram leur avait offert la Substance du bonheur. Trois Elus leur distribuaient régulièrement les petites capsules bleues. Bleues comme la lumière du Nirvana.

Dressé sur son piédestal de bambou, le Maître paraissait plus grand que jamais. A la lumière des torches, son aura semblait presque palpable pour ceux qu'il avait formés à lire au-delà des ombres. Le cristal, à son cou, renvoyait mille feux tel l'œil de jade d'une idole païenne. De la bouche des deux cents disciples s'éleva spontanément un mentras surgi du fond des temps.

– Om..., Om..., Om...!

La vibration répétitive ressemblait au grondement d'un volcan. La voix d'Oram les inonda, telle une pluie salvatrice.

Peu importait la teneur de ses propos. Seule comptait à leurs oreilles la musique de sa voix. La silhouette blanche du prêtre dansait parmi les ombres. Ils communiaient depuis l'instant où ils avaient absorbé la première gélule. Le mentras avait mué dans les aigus.

– Om..., Om..., Om...

A nouveau la voix d'Oram le magnifique les berça. Et les mots s'imprimaient au plus profond de la conscience des Elus. Oram exprimait ce qu'ils ressentaient grâce à lui, grâce à cette gélule. Le gourou arrivait à la fin de son discours.

– Cette substance est un peu de ma chair, de mon sang et de mon amour. Désormais chacun de vous me porte en lui.

Puis Oram s'envola. Il reviendrait le lendemain.

Sœur Isima repassait dans sa mémoire les images de la nuit précédente. Pour la première fois, le Maître l'avait autorisée à partager sa couche. Elle se souvenait de l'instant où ses mains s'étaient posées sur elle avec une douceur, une tendresse dont lui seul était capable. Cet instant, elle l'attendait depuis le premier jour, comme toutes les Elues. Oram exerçait une véritable fascination sur ses disciples du sexe féminin. Lorsqu'il choisissait enfin une compagne, les filles du cercle supérieur la préparaient à cet honneur exceptionnel. Ensemble, les initiées et la nouvelle adepte se livraient aux ablutions rituelles, puis entraient en méditation. Enfin, vêtue de la « tenue sacrée » (bas fumés à couture, porte-jarretelles, soutien-gorge et petite culotte transparents), la concubine d'une nuit rejoignait le Maître. Auparavant, elle jurait de ne pas trahir le secret des heures qui allaient suivre.

Isima était vêtue d'un simple pagne. La nuit était plutôt fraîche. Elle avait jeté sur ses épaules un châle de coton aux couleurs vives. Ses pieds nus foulaient l'herbe sèche. Elle atteignit la lisière du camp délimitée par une dernière torche plantée entre deux cristaux.

La douceur et la tendresse d'Oram n'avaient en fait duré qu'un court instant. Les minutes suivantes avaient été un déferlement de violences à peine contenues et l'étreinte avait été aussi brève qu'un songe. Sœur Isima avait souffert dans sa chair, n'osant manifester son étonnement ni sa frustration.

Mais Oram s'en était expliqué : « Je t'ai guidée vers les plans inférieurs, Isima, car tu n'es pas prête. Un jour peut-être te demanderai-je à nouveau de partager ma couche... »

En d'autres temps, Isima eût été indignée. Pas prête, alors que nulle autre qu'elle ne s'était tant préparée à cet instant? Mais curieusement, même l'attitude désarmante d'Oram n'était pas parvenue à entamer son allégresse. Et la douleur s'était vite estompée, car elle n'atteint jamais les rêves. Pour la récompenser Oram lui avait offert deux gélules supplémentaires.

La paix s'était répandue dans le camp. Chacun vivait son propre bonheur dans l'isolement et la méditation, n'ayant plus besoin de s'exprimer pour se faire comprendre.

Sœur Isima atteignit les palétuviers qui bordaient le fleuve Usumacinta dans lequel, la veille, on l'avait plongée...

Le ricanement d'un cacatoès perça le silence de l'obscurité. Chaque cri d'animal, chaque bruissement était une caresse pour ses sens exacerbés. Elle aurait voulu demeurer là pour toujours, auprès des siens. Peut-être en serait-il ainsi. Oram n'avait jamais évoqué une possible migration. Les Elus resteraient toujours dans ce lieu édénique. Sœur Isima s'étendit sur le sol entre les racines d'un grand arbre tropical. Seuls un faible clapotis et l'humidité de l'air rappelaient la présence toute proche du rio. Les canoës et les Zodiac qui avaient permis aux Elus d'atteindre Piedras Negras reposaient sur la berge, tout près.

L'effet de la Substance gommait la frontière séparant le sommeil de l'état de veille. Les yeux mi-clos, Isima fredonnait une chanson qu'elle avait apprise enfant. Elle se remémorait à peine les paroles. Au-dessus de sa tête, une liane prit soudain vie. La forme ondulante s'enroula autour d'une branche plus basse. Lentement, sans le moindre craquement, le reptile parvint jusqu'au tronc du palétuvier. Il se laissa glisser jusqu'aux premières racines et poursuivit son approche. C'était un boïga aux écailles noir et orange, à la gueule aplatie. Un serpent d'une beauté fascinante, comme la mort que son venin prodiguait en quelques secondes.

Isima s'arracha à sa torpeur. Les paroles de la chanson qui revenaient : « *Oh, little girl, why did you try? Oh, little boy, the moon is sky...* » Ses jambes nues étaient légèrement repliées entre les racines. Le bruissement d'une feuille l'alerta. Elle sentit un objet glacé frôler sa hanche. Prenant enfin conscience de la menace, elle poussa un hurlement et se roula sur le côté avec toute la vigueur de ses dix-huit ans. A la lumière des étoiles, le serpent se ramassa, la gueule grande ouverte, dardant sa langue fourchue vers la proie qui s'échappait. Un sifflement de colère passa entre ses crocs recourbés.

Isima bondit en poussant un cri aigu. Le boïga était à moins d'un mètre. Elle recula, le cœur battant. Il lui fallait trouver une arme, vite, dans l'obscurité hostile. Le boïga se préparait à un nouvel assaut. Le tronc du palétuvier interdisait toute retraite à la jeune fille. Elle essaya de crier encore, mais ne parvint à émettre aucun son. La peur lui serrait la gorge jusqu'à la nausée. « Je vais mourir. »

Le serpent se détendit d'un coup et franchit comme une flèche la distance qui le séparait de sa proie. En un ultime réflexe, Isima parvint à éviter la morsure foudroyante. Ses pieds se prirent dans une racine. Elle chut lourdement. Emergeant des lianes, le serpent glissa lentement vers elle. Etendue sur le sol, tremblante, les yeux révulsés, un maelström de pulsions contradictoires envahissait son cerveau. Des milliers d'images affluèrent, plus effroyables que la face terrifiante du reptile. Les sons qui l'entouraient se muèrent en un hurlement ininterrompu, strident, insoutenable. Le corps dénudé d'Isima se couvrit de sueur. Son crâne semblait prêt à exploser. Sa peau la brûlait. Ses doigts fouillaient ses orbites et cherchaient à arracher ses yeux. L'angoisse déferlait dans ses veines comme un acide.

Sa main se referma sur une branche morte. Le serpent attendait, dérouté par l'attitude inhabituelle de cette créature. Les oiseaux, les rongeurs auxquels il s'attaquait se montraient plus dociles.

La massue improvisée d'Isima s'abattit en faisant éclater les écailles en un bruit sourd. A genoux, courbée vers sa victime, Isima frappa et frappa encore, la gorge secouée par un rire inhumain. Elle battait encore la terre humide lorsque le corps du serpent se sépara en deux. Frénétiquement, l'écume aux lèvres, elle écrasa le corps du boïga, creva sa poche à venin, la réduisit à l'état de bouillie. Le sang maculait son buste. Quelques écailles s'étaient collées sur son visage.

Le serpent était mort depuis bien longtemps lorsqu'elle se redressa enfin. Elle tituba et prit le chemin du campement. Plus aucune pensée cohérente ne parvenait à franchir la barrière de sa douleur. Les arbres se dressaient, menaçants, autour d'elle. Chaque liane était un serpent.

Aucun oiseau ne chantait plus.

Ses pieds déchirés par les racines et la caillasse la portèrent jusqu'à la lisière du camp. Un couple reposait non loin de la première torche. Le garçon, entendant un bruit de pas, un halètement ponctué de gémissements, se retourna, craignant qu'il ne s'agisse d'un fauve.

– Sœur Isima! s'exclama-t-il. Que t'est-il arrivé?

Le pagne de la jeune fille pendait entre ses cuisses, dévoilant en partie son pubis. Elle avait perdu son châle. Ses genoux, ses bras étaient écorchés. A la lumière de la torche, son corps luisait d'une matière poisseuse. Mais son visage, surtout, réflétait le plus indicible des tourments.

– Sœur Isima?

Celle qui avait été Dorothy Smith, puis sœur Isima, n'avait plus rien d'humain. Elle agrippa une touffe de sa longue chevelure blonde et l'arracha comme elle l'eût fait d'une perruque. Puis, comme prise d'une aspiration subite, elle saisit la torche plantée dans le sol à ses pieds et, la brandissant, se rua sur le couple encore engourdi. Le brandon enflammé s'abattit sur l'épaule du garçon avec une force incroyable. Sa compagne poussa un cri de terreur... Le jeune Elu s'effondra sous le choc, la peau arrachée. Un peu de résine se consumait sur son omoplate. Il roula sur lui-même pour s'échapper, mais la torche s'écrasa entre ses jambes.

Ils étaient deux cents Elus, à Piedras Negras. Tous, depuis deux jours, absorbaient la « Substance du bonheur ».

HOBOKEN, LE 5 MARS

Prélevant un mégot encore fumant dans le cendrier plein à ras bord, Clara alluma une nouvelle cigarette. La cartouche de Marlboro était largement entamée. Elle classa les bandes d'enregistrements du dernier E.E.G. effectué sur les vétérans. Les yeux irrités par la fumée de sa cigarette, elle vérifia les tracés : le rythme alpha constituant la « réaction d'arrêt » apparaissait clairement avec son aspect en fuseau, sa dominance postérieure, son arrêt brusque au moment de l'« ouverture des yeux ». Le rythme d'éveil attentif, ou rythme bêta, d'une fréquence supérieure à 14 c/s, se déroulait avec une régularité étonnante.

Le nom du vétéran ayant prêté son cerveau à l'examen électrophysiologique et les résultats obtenus furent ingérés par l'ordinateur, complétant ainsi son dossier informatisé. Il avait subi cinq séances de quarante-huit heures sous Substance B, dosée respectivement à un dizième de milligramme, un cinquième de milligramme et un milligramme.

Clara déchiffra le premier E.E.G. effectué avant le traitement. Le graphique apparut sur l'écran aussi nettement que celui du jour même. Son pouls s'accéléra. En moins d'un mois, les altérations cérébrales généralement incurables s'étaient résorbées au point de disparaître. C'était quasi miraculeux. Et les doses de la Substance B étaient toujours bien en dessous du seuil clinique.

Clara décrocha aussitôt son téléphone et en informa Meryl qui partagea son enthousiasme.

– Depuis combien de temps dosons-nous à un milligramme? demanda Clara.

– Quatre semaines. Depuis hier, répondit Meryl.

Clara se décida :

– Nous devrions doubler le dosage sur la première section.

PIEDRAS NEGRAS, LE 6 MARS

L'hélicoptère d'Oram quitta Ciudad de Guatemala peu après l'aube. Mille de ses adeptes séjournaient dans cette cité et constituaient une substantielle source de revenus. Le Maître, comme n'importe quel proxénète, venait d'un coup d'aile « relever les compteurs ».

Sous l'hélicoptère s'étendait l'une des régions les plus sauvages au monde : forêts entrecoupées de zones désertiques, grands fleuves, rios asséchés. De l'ancienne civilisation maya, il ne restait plus un édifice : la jungle avait tout submergé.

Bien qu'il fasse partie des Elus, le pilote s'était vu interdire l'usage de toute drogue, alcool ou stupéfiant. La Substance B y compris. Assis près de lui, Oram ne perdait rien du paysage dont il ne parvenait pas à se rassasier. L'habitacle transparent de l'Alouette permettait une vue panoramique.

L'appareil descendit le cours de la rivière Salinas jusqu'à son confluent, le Rio de la Passion. Puis il bifurqua vers le nord longeant le fleuve Usumacinta. Machinalement, Oram fouilla dans la poche de sa tunique, y puisa le flacon à demi entamé et porta une gélule à sa bouche. Il poursuivit comme dans un rêve l'échafaudage de ses plans. Contrairement à toutes les drogues, et malgré cinq jours d'usage régulier, dépassant les doses prescrites par Franck Bauer, la Substance B agissait de façon continue, sans saute d'humeur ni retombée prostrative. Tous les obstacles lui semblaient maintenant dérisoires.

Dans deux mois, trois tout au plus, il prendrait livraison d'un million de gélules. Mais cela ne suffisait pas. Il achèterait Bauer et, pourquoi pas, la Morgan. Dire que lui-même avait pensé tout d'abord commercialiser la Substance B ! Ridicule. Il allait la distribuer gratuitement à tous ceux qui rejoindraient ses rangs ! Bauer l'avait raillé en affirmant que cette drogue le porterait au sommet, à la toute première place. Le président de la Morgan avait vu juste. La Substance B ferait de lui l'égal du pape !

L'Alouette se posa sur la rive, sur le promontoire bosselé de Piedras Negras. Le ciel était devenu uniformément gris. Toucans, aras et touracaos échangeaient des ricanements d'un arbre à l'autre. La jungle bruissait de mille cris annonciateurs de pluie.

Personne n'était venu l'accueillir. La Substance B avait-elle plongé les Elus dans une torpeur telle qu'ils en oubliaient jusqu'à leurs plus élémentaires devoirs? Il se tourna vers le pilote. Lui aussi semblait surpris.

– Tu aurais dû laisser tourner l'hélicoptère au-dessus du camp, dit Oram d'un ton de reproche. Ils ne nous ont peut-être pas entendus venir.

Il en doutait. A des kilomètres à la ronde, tout être vivant avait entendu le sifflement des rotors. Ils savaient pourtant que la méditation devait s'interrompre lorsque le Maître arrivait!

Oram attendit qu'une bouffée de colère lui étreigne la gorge, mais la Substance B lui enlevait toute agressivité. Il prit le chemin du camp, suivi de son pilote. Il n'eut que quelques mètres à parcourir avant de trouver le premier corps sur lequel s'activait une nuée de mouches. Le garçon gisait sur le ventre, le visage enfoui dans les racines. Autour de lui, la terre était rouge. Oram se pencha et le retourna. Malgré son sang-froid et l'effet de la Substance B, le prêtre fut parcouru d'un frisson et recula vivement. Les traits de l'adolescent exprimaient la plus indicible des terreurs. Son visage émacié, figé par la mort, ressemblait à un masque funéraire, gencives et dents découvertes sur un rictus infâme, yeux démesurément ouverts. Il avait le torse tailladé et recouvert de croûtes encore suintantes. De son abdomen déchiré s'échappait une masse grisâtre, grouillante de vers.

Oram se tourna vers son pilote, cherchant dans son regard quelque explication. Mais celui-ci, à genoux, vomissait bruyamment, trop bouleversé pour lui être de quelque secours. Le rire d'un ara s'éleva d'une branche basse. Son plumage multicolore se détacha un instant sur la verdure.

Une douleur fulgurante transperça le cerveau d'Oram. Hébété, il porta la main à son front. La sensation s'estompa. Plus que de sa macabre découverte, il s'étonna de la souffrance physique qu'il venait d'éprouver, c'était comme un condensé de toutes les angoisses inexprimées depuis cinq jours. Il se redressa, chancelant, et attendit que son pilote se ressaisisse pour reprendre sa marche.

La pluie commença à tomber. Doucement, tout d'abord, puis, soudain, ce furent des trombes d'eau. Aussitôt le terrain se transforma en marécage. Dans un grondement apocalyptique, un véritable torrent dévala la pente, ralentissant l'avance des deux hommes. Ils pataugeaient dans la boue.

Oram buta sur le second corps. Une adolescente entièrement nue dont il ne parvint pas à reconnaître le visage. Sous la boue qui la maculait, les traits étaient inexistants, comme si quelqu'un s'était méthodiquement acharné sur elle à coups de pierre. Blême, le pilote ne parvenait pas à proférer le moindre son.

– Les indigènes? s'interrogea Oram.

Mais ils avaient abandonné la région depuis bien longtemps. Oram ne comprenait pas. Il poursuivit sa pénible marche jusqu'à la lisière du camp, une angoisse indéfinissable dissipant peu à peu les effets bénéfiques de la drogue. Dans la crainte du spectacle qui l'attendait, Oram puisa encore une fois dans le flacon. Ses mains tremblaient. Il parvint à saisir une gélule, mais la petite fiole lui échappa et son contenu fut emporté par le torrent.

Ils atteignirent enfin la clairière où la veille encore on dansait et on chantait. Où que se posât leur regard, il ne leur apparut qu'horreur et désolation. Les corps s'entassaient autour des cases effondrées. Les cadavres, atrocement mutilés, gisaient dans la boue rougie du camp. Seul édifice encore intact au milieu de ce tableau surréaliste, se dressait le piédestal de bambou depuis lequel Oram les avait harangués. Il examina plusieurs corps. Aucune de leurs blessures n'était franche. Ils s'étaient massacrés à coups de pierres, à coups d'ongle, à coups de torche. Certaines gorges portaient des marques de dents.

L'horreur fut à son comble lorsque, s'approchant d'une silhouette qui lui semblait familière, il reconnut sœur Isima : son bras n'était que lambeaux de chair à demi dévorée.

Oram ressentit un nouvel élancement douloureux. Cette fois un sifflement strident lui transperça les tympans. Il faillit crier, mais la sensation insupportable disparut plus rapidement que la première fois. Il fut envahi par une douce fraîcheur intérieure et retrouva la quiétude. A cet instant, un hurlement inhumain déchira le silence. Un craquement de branchages alerta Oram qui se retourna.

Le pilote fut plus rapide que lui. Il saisit son arme et fit feu avant que le dernier survivant du camp des Elus ait pu franchir les quelques mètres de sol détrempé qui les séparaient. Le garçon s'effondra dans un râle, son visage n'exprimant rien d'autre qu'une fureur démente. La seconde balle l'acheva.

– Tu n'aurais pas dû. Il était notre dernière chance de comprendre.

Le pilote eut un geste d'excuse.

Cette fois la brûlure fut plus intense que les précédentes. Oram enserra son crâne dans ses mains et laissa échapper un long cri de douleur. Le pilote se précipita sur lui lorsqu'il tomba à genoux. Oram le vit se pencher. Sa présence lui devint insupportable. Qu'il s'éloigne! Qu'il disparaisse!

Il sentit ses mains s'éloigner lentement de sa tête, se tendre vers le cou du pilote, puis elles se mirent à trembler et la vague douloureuse reflua. Haletant, abattu par les visions abominables qui venaient de lui traverser l'esprit, Oram comprit enfin. La Substance B! Les Elus n'avaient pas subi d'attaque extérieure, ils s'étaient entre-tués. Lui-même avait eu, un court instant, l'envie incoercible d'étrangler son propre pilote.

Oram eut l'abominable certitude que cette démence collective résultait d'une overdose. Mais dans ce cas il était plus en danger encore que les autres. En moins de cinq jours, il avait absorbé le contenu d'un flacon et demi, soit quarante-cinq gélules. Il pouvait à tout instant devenir aussi fou et meurtrier que les deux cents malheureux dont il ne restait plus que ces corps déchiquetés.

Inconscient du danger qu'il avait encouru, le pilote l'aida à se relever.

– Fouille le camp, ordonna-t-il. Trouve des cordes. Lorsque tu reviendras, attache-moi. Si je me débats, assomme-moi.

– Mais, Maître...

– Fais ce que je te dis. Il y va de notre vie. A tous les deux. Ramène-moi aux Etats-Unis quoi qu'il arrive!

– Los Angeles? interrogea le pilote.

– Non. Très exactement d'où nous venons. New York!

NEW YORK, LE 7 MARS

Quelques nuages figés dans un ciel uniformément bleu conféraient au golf de Slip Rock une touche hyperréaliste. Un vent chaud venu de l'océan enveloppait les deux hommes en tenue presque estivale. Suivis par une voiturette électrique, flanqués de leurs caddies, ils venaient d'accéder au départ du sixième trou, au sommet de la butte.

Une fois par semaine, le président de la Morgan humiliait Collins sur le parcours élégant du golf de Slip Rock. Pour faire bonne mesure, il lui rendait dix points de handicap. Il interpella son second couteau d'une voix bonhomme :

– C'est à vous, Jimmy. Epatez-moi!

Il connaissait par le détail le parcours que la balle

aurait à effectuer pour atteindre le fanion du sixième trou : trois cent cinquante mètres en évitant le bosquet, et, en contrebas, le bunker à quarante mètres du green. Collins prit son temps pour choisir son fer, sous l'œil goguenard des caddies. Il plaça sa balle sur le tee, chercha son meilleur équilibre, se concentra. Il s'apprêtait à délivrer son coup quand trois robes blanches lui apparurent. Trois paires de sandales de cuir faisaient demi-cercle autour de sa balle. Lentement il baissa son club et se redressa.

En trois pas, Bauer fut à son côté. Il reconnut les hommes d'Oram au cristal suspendu à leur cou. Un bracelet noir enserrait leur poignet : la « Garde céleste ». Leur carrure impressionnante, leur impassibilité différaient sensiblement du souvenir que Bauer gardait des disciples d'Oram.

– Nous sommes les envoyés d'Oram.

Cette entrée en matière apparemment anodine n'annonçait rien de bon. Pour se parler ou pour se voir, Oram et Bauer se téléphonaient, tout simplement. Sans intermédiaire. Comme un soldat toujours prêt au combat, Bauer guettait l'ennemi potentiel. S'il se sentait menacé, il cognerait le premier. Troublé, Collins observait la scène. Quoique informé des accords de Bauer avec la secte, il ne voyait rien d'amical dans l'intrusion des trois « messagers ». Comment Bauer avait-il pu traiter avec de tels individus? Pourquoi avoir consenti à leur céder la Substance B? Et ce déguisement! Il se perdait en conjectures lorsque le message enfin leur parvint. Un des membres de la Garde céleste le délivra d'une voix glacée :

– Vous nous avez livré du poison!

Collins sursauta. Son regard affolé se porta de Bauer aux trois envoyés d'Oram, puis revint à Bauer. Alors d'autres mots s'ajoutèrent, résonnant dans sa conscience avec une force insoutenable : Deux cents morts. Massacre. Folie collective. Overdose...

Bauer restait de marbre.

– Je n'en crois pas un mot. Votre gourou essaie de se défiler!

Le cerveau bien huilé de Bauer tournait à plein régime. Oram tentait-il une manœuvre? Essayait-il de récupérer son premier versement? et les autres trois cents millions? Il les lui fallait. Ce messager lui répondit :

– Le Maître tient toujours ses promesses. Ce n'est pas une question d'argent. Vous l'avez empoisonné. Mettez tout en œuvre pour le guérir et dès maintenant.

Collins n'étant pas le courage incarné, il admirait le sang-froid de son patron. Tranquille, cynique, amoral comme le diable.

« Tu vas t'en sortir », se disait Bauer. Inconsciemment, il savourait cette situation paroxystique. Il demanda :

– Comment est-ce arrivé?

Le messager lui relata les événements tragiques de Piedras Negras, sans omettre le moindre détail. Puis il tendit à Bauer une radiocassette sur laquelle le pilote avait enregistré sa version des faits et surtout les instructions surprenantes de Bauer.

La Morgan trouverait une solution. La Substance B devait receler quelque effet indésirable qu'on allait découvrir. Ces gugusses s'étaient sans doute gavés de pilules sans prendre la moindre précaution. Quant aux victimes, Bauer n'en avait vraiment rien à foutre. Que représente la mort de deux cents fanatiques, comparé à l'intérêt supérieur de la Science... et de la Morgan?

Le garde céleste poursuivit :

– Il nous faut un contrepoison dans les heures qui suivent. Sinon...

Il pointait vers Bauer un index menaçant soulignant ainsi la gravité de ses propos.

– Sinon? demanda Bauer, visiblement peu impressionné.

– La Morgan perdra deux cents procès contre les familles des victimes. Nous leur ferons savoir d'où vient le poison. Ce n'est pas tout. Il nous reste sept mille de vos petites gélules. Nous les enverrons au *Washington Post*, aux Networks, aux journaux médicaux et aux laboratoires du monde entier. Et surtout à la F.D.A. Guérissez le Maître... (le messager semblait plus ému qu'en colère), ou vous ne connaîtrez plus une seconde de répit sur cette terre de douleur.

Les trois membres de la secte saluèrent alors les deux hommes en inclinant leur buste vers l'avant, gardant quelques secondes cette curieuse posture, puis s'évanouirent derrière les bosquets. Collins se demanda s'il n'avait pas fait un mauvais rêve. L'entrevue n'avait pas duré plus de trois minutes.

Les oiseaux chantaient. Le soleil brillait. Les caddies revenaient vers eux dans la voiturette.

Bauer – le diable – le regardait avec un étrange sourire. Collins, la gorge nouée, parvint à lui dire :

– Oram n'est pas le seul survivant.

Bauer ne l'écoutait pas. Oui, il y avait les trois vétérans encore sous surveillance à Hoboken. Rien ne pressait pour eux, ils avaient signé un contrat. Mais comment pourrait-il révéler l'affaire à Clara Zellmeyer et la convaincre de porter secours à Oram?

NEW YORK, LE 8 MARS

Les manifestations n'étaient pas rares à New York. Les contestataires de toutes tendances se relayaient à Central Park qu'ils parcouraient pendant des heures, brandissant des pancartes, scandant des mots d'ordre sous le regard blasé des G.I.'s chargés de maintenir le calme. Autour de Central Park même, dans la 5e Avenue, des groupuscules se formaient spontanément. Ils protestaient contre un décret municipal, une attitude gouvernementale jugée trop belliqueuse ou, à l'inverse, trop laxiste...

En ce 8 mars, une centaine de manifestants paralysaient la circulation. Time Square était embouteillé. On criait, on s'injuriait tandis que les centaines de chauffeurs immobilisés évacuaient leur frustration à coups de klaxon.

Au milieu de ce désordre, une longue Cadillac noire aux vitres fumées avançait par à-coups. Impatiente, Clara scrutait la longue file de voitures à travers le pare-brise.

– Vous n'auriez pas dû choisir cet itinéraire. On va y passer la journée.

Tom-Pouce, le chauffeur, paraissait tout aussi impatient qu'elle.

– Ne vous en faites pas, docteur. Je vais vous sortir de là.

Clara fulminait contre la malchance de ce début de journée. Elle s'était levée tard, pensant rattraper le temps perdu en utilisant l'hélicoptère pour se rendre à Hoboken. Exceptionnellement, le Bell Jet Ranger n'était pas disponible. Tom-Pouce avait ensuite mis un temps fou à répondre à son appel. Et maintenant l'embouteillage!

Mais l'occasion guettée par Tom-Pouce ne se fit pas attendre. On entendit simultanément le ululement d'une voiture de police et la sirène d'une voiture de pompiers. Dans le rétroviseur apparut le convoi, précédé de deux motards sifflet à la bouche.

– Accrochez-vous!

Les voitures s'écartaient. Habilement, Tom-Pouce

déboîta et se colla littéralement à la voiture des pompiers. Les New-Yorkais respectueux des *firemen* se hâtaient de libérer le passage. En quelques secondes, la limousine contourna la manifestation, s'engagea dans la 47e Rue puis, abandonnant son escorte, bifurqua vers l'Avenue of Americas qui les mènerait à Central Park. La circulation était fluide. Clara soupira et dit à Tom-Pouce :

– Vous devriez prendre la 57e puis la 8e Avenue jusqu'au Lincoln Tunnel.

Le chauffeur ne sembla pas l'entendre. La Cadillac emprunta le 57e Rue, mais ralentit et s'arrêta devant le portique du parc dominant Columbus Circle.

– Que se passe-t-il? s'énerva Clara. Avancez, voyons!

Le rétroviseur lui renvoya l'image de Tom-Pouce, le regard fuyant, le visage congestionné. Le chauffeur scrutait la foule en mouvement. Clara s'apprêtait à protester à nouveau puis se ravisa. Cette halte imprévue commençait à l'inquiéter. Elle saisit le téléphone. La portière s'ouvrit. Elle n'était pas verrouillée.

– Greg? s'écria-t-elle.

Trois hommes s'engouffrèrent l'un après l'autre dans le véhicule. Lentement, avec assurance. De l'extérieur, la scène paraissait naturelle : une Cadillac s'arrête pour prendre à son bord trois personnalités un peu excentriques... Car les hommes étaient vêtus d'une tunique blanche et portaient un cristal autour du cou.

– Qui êtes-vous? demanda Clara, retrouvant son sang-froid. Greg, qui sont ces hommes?

Le dernier d'entre eux referma la portière. Aussitôt le chauffeur démarra, tandis qu'une main se posait sur celle de Clara et l'éloignait doucement du téléphone.

– Vous n'êtes pas directement responsable du

malheur qui nous frappe, lui dit le garde céleste. Mais vous seule pouvez nous aider.

HOBOKEN, LE 8 MARS

– Que faisons-nous des trois volontaires, Franck?

– De qui voulez-vous parler? Ah! les vétérans! Je m'en fous, débrouillez-vous. Racontez-leur n'importe quoi, offrez-leur un peu d'argent et gardez-les enfermés. On a assez d'ennuis pour l'instant!

– On devait les libérer aujourd'hui! Vingt et un jours, c'est le contrat.

– C'est votre problème, Collins. Je vous ai dit que je m'en foutais!

– Et le programme, on l'interrompt?

– On continue! Pour qui me prenez-vous? Vous croyez que je vais me laisser impressionner par le comportement irresponsable de quelques trouducs?

Jimmy Collins s'éveilla en sursaut. Cette conversation avec Bauer, loin d'être un rêve, se déroulait il y a quelques heures. Et après cette nuit agitée de cauchemars, il lui faudrait affronter les trois vétérans. S'ils étaient encore vivants. Depuis longtemps, il avait de lui-même une piètre opinion. Bauer l'avait forcé à devenir le « méchant ». Et quelle qu'en ait été la récompense, elle lui apparaissait à présent comme de la fausse monnaie.

En se rasant, il sourit à son image et soudain tout fut clair. La mort de Tim Patterson et celle des deux cents adolescents de Piedras Negras le menaient à la même piste.

Sur la bande son qu'il se repassait obsessionnellement depuis des semaines, des images s'inscrivaient enfin.

Patterson est au téléphone. Les rats manifestent les premiers symptômes de l'overdose : « Ne quittez pas, Jimmy. J'ai un problème! » Il perçoit des couinements à travers le récepteur. Un ou plusieurs rats sautent à la gorge de Patterson, d'où les hurlements. Patterson panique, s'agrippe aux cuves d'acide qu'il renverse, détruisant les labyrinthes et affolant les rats.

Mais dans ce cas, pourquoi cet accident s'était-il produit uniquement avec cette série de rats? Les doses étaient les mêmes pour tous. Patterson avait trop d'expérience pour faire l'idiot.

La thèse de l'overdose devenait moins évidente. Depuis vingt et un jours, il observait en permanence les trois vétérans auxquels il administrait dix fois la dose injectée à tous les autres sujets. Ils ne manifestaient aucun signe d'agressivité ou de malaise. Bien au contraire, ils étaient en pleine forme. L'expérimentation sur les animaux le prouvait également. L'effet à très forte dose était le même.

Que les malheureux adeptes d'Oram aient ou non dépassé les doses prescrites ne justifiait pas qu'ils se soient entre-tués et à plus forte raison que les rats de Patterson soient devenus fous furieux. S'il avait seulement eu le courage de témoigner, les rats auraient été autopsiés. Bauer n'aurait pas conclu son accord avec la secte et les deux cents jeunes gens seraient vivants.

Collins avançait comme un automate dans les couloirs du bâtiment de Hoboken. Il croisa deux ou trois laborantins en blouse blanche qu'il salua machinalement. Il descendit dans le sous-sol, empruntant un chemin maintenant familier. Trois semaines déjà.

Une dernière porte coulissante, commandée par l'empreinte de sa main et nulle autre, lui permit d'atteindre une zone désaffectée, interdite aux employés depuis bien longtemps. Là s'entassaient les plus anciennes archives de la Morgan Chemical.

Les murs aux couleurs passées lui rappelaient les corridors d'hôpitaux archaïques où il avait passé des mois alors qu'adolescent la fragilité de sa santé se compliquait d'une situation sociale misérable. Par quel mystérieux phénomène la même odeur de désinfectant et de vieux papiers hantait ces lieux avec autant d'âpreté que dans ses souvenirs?

Alors qu'il approchait de la dernière porte, l'anxiété le gagna. Dans quel état allait-il trouver les trois vétérans?

Collins posa la main sur le barrage électronique. Son cœur battait à tout rompre. La porte s'ouvrit.

– Salut, Jimmy. T'es en avance!

Guido Rambaldi vint à sa rencontre. Il avait troqué sa tenue de « patient » contre un jean, une chemise à carreaux et son blouson. Tony et Sidney étaient eux aussi prêts à partir.

Collins poussa un soupir de soulagement. Les trois vétérans souriaient. Ils avaient empaqueté leurs quelques effets personnels dans des sacs de voyage. La salle d'expérimentation était en ordre. Les couvertures, sur les lits, étaient pliées au carré. Ce dernier détail émut Collins. Une fois de plus il ressentit le poids de l'ignoble machination dont il s'était fait le complice.

– Notre ami fait une drôle de tête, plaisanta Guido. On devrait lui faire une petite injection. Dis donc, Jimmy, ça ne t'es jamais venu à l'idée d'en prendre avec nous?

Collins tressaillit. Il parcourut la chambre commune d'un air las et serra machinalement les mains qui se tendaient vers lui.

– Vous ne sortez pas aujourd'hui, dit-il enfin.

Il redoutait une réaction violente. Mais il oubliait que les trois hommes en étaient désormais incapables. Les événements mineurs, et c'en était pour eux, glissaient sur le bouclier de leur bonheur chimique.

Guido, le premier, rompit le silence :

– Que se passe-t-il, Jimmy? Nos tests ne sont pas bons?

Il n'y avait aucune inquiétude dans sa voix.

– Non, répondit Jimmy. Ce ne sont pas vos tests. Il faut que vous restiez... La Morgan est prête à vous offrir...

Sa voix se brisa. Il fixa Guido, prit une profonde inspiration et dit :

– Il s'est passé quelque chose de grave!

La suite vint avec une facilité déconcertante. Comme pour le mensonge, le premier pas vers la vérité est le plus pénible à franchir.

NEW YORK, LE 8 MARS

La Cadillac remonta Palissade Avenue jusqu'à Inwood Hill Park, puis bifurqua dans une large allée bordée d'arbres et de buissons. A quelques minutes du centre de Manhattan commençait déjà la province. La limousine franchit un portail blanc puis gravit un chemin bitumé bordé d'arbres centenaires.

Clara réprima un frisson. L'immense demeure d'architecture victorienne avait un aspect vaguement familier. Le véhicule s'arrêta devant le perron. Plusieurs silhouettes vêtues de blanc attendaient, immobiles.

Un jeune homme se précipita vers l'automobile et ouvrit la portière avec déférence.

– Comment est-il? demanda aussitôt Clara.

– Venez, je vais vous conduire jusqu'à lui.

La jeune femme suivit le garde céleste à l'intérieur

du manoir. Elle gravit les marches du large escalier. Elle croisa plusieurs jeunes filles qui baissèrent le regard à son approche. Elles avançaient à pas furtifs dans un silence oppressant. Clara, en état de choc, poursuivit son chemin. L'enfilade de chambres vides et de salons déserts semblait interminable. Clara avait hâte de comprendre, d'analyser, de chercher, de réparer l'erreur. Mais quelle erreur?

Chaussés de sandales à semelles de crêpe, les membres de la secte glissaient comme des fantômes tandis que les talons de Clara claquaient avec un bruit incongru sur le dallage blanc.

Elle pensa aux retombées positives de l'imprudence de Bauer : pour la première fois en trois ans, l'infaillibilité de la Substance B était mise en cause. L'homme qu'elle allait rencontrer manifestait une intolérance à la molécule. Un cas qui ferait avancer les recherches. Du temps de gagné...

« Ça ne peut être grave », pensa-t-elle, tandis que son guide s'arrêtait devant une porte capitonnée de blanc.

Il échangea quelques mots à voix basse avec un garde vêtu d'un kimono. Dans la Cadillac, le messager lui avait expliqué les raisons de son enlèvement. Il avait omis un détail : la tuerie de Piedras Negras.

Le garde s'écarta et la porte s'ouvrit. Clara avança en clignant des yeux. Les volets de la chambre étaient clos, les rideaux tirés. Il y faisait aussi sombre qu'en pleine nuit. Elle fit encore un pas. La porte se referma derrière elle. Aucun son, pas même une respiration, ne trahissait d'autre présence que la sienne. Le seul bruit qu'elle parvenait à capter était un battement sourd, régulier. Elle prit conscience qu'il s'agissait de son propre cœur. Les ondes sonores paraissaient déformées, comme au fond d'une grotte. Peu à peu ses yeux parvinrent à distinguer des formes. Devant elle, elle devina un lit.

– Mademoiselle Zellmeyer?

Clara se mordit les lèvres. La voix était claire, sans timbre. Mais dans l'obscurité quasi totale elle résonna avec autant de force que la plus terrible des menaces.

Un bruissement d'étoffe froissée et, soudain, la chambre fut inondée de lumière. La lueur blafarde d'un néon rasa les murs tapissés de molletons. Elle distingua la forme d'un téléprojecteur et d'une console de synthétiseur recouverts de nappes de coton. Les tables de nuit étaient grossièrement emballées, les fenêtres masquées de tissu. Ce calfeutrage absorbait les sons, atténuait la lumière, chargeait l'atmosphère d'une angoisse presque palpable.

Oram, enfoui sous un amoncellement de couvertures, gardait les yeux clos. De chaque côté du lit pendaient des sangles. Un boîtier de télécommande, seul objet non enveloppé, reposait sur un oreiller.

Oram ouvrit les yeux. Dans son regard posé sur Clara brillait une lueur aussi glacée que la mort. Son visage creux, son front large et bombé perlé de sueur, ses cheveux devenus blancs en un seul jour soulignaient sa dégradation. Les lèvres minces remuèrent faiblement :

– Vous êtes donc Clara, dit Oram. J'espère que Bauer ne s'est pas livré à une substitution pour protéger sa meilleure chercheuse.

Confrontée à cette épreuve, Clara retrouvait ses forces. Pourquoi aurait-elle peur de ce vieillard visiblement épuisé? Elle s'approcha du lit et y prit place près de lui.

– Pourquoi Bauer vous a-t-il permis d'utiliser la Substance B?

La question lui avait échappé. Pourtant le messager l'avait prévenue : chaque interrogation pouvait entraîner une flambée de violence. Oram respira profondément. Le couvre-lit se souleva. Ses bras apparurent puis ses mains déformées par une constante contraction.

– Ne me demandez rien. N'essayez pas de comprendre. Vous êtes ici pour me sauver.

– Alors, autant vous prévenir tout de suite! s'écria Clara. J'ignore quel mal vous ronge. Il y a quelques heures encore, je me rendais au laboratoire pour poursuivre mes recherches sur un médicament en cours d'expérimentation. Contrairement à toutes les règles, vous avez absorbé ce produit en forte quantité. Mais avant de vous hospitaliser, dites-moi ce qui s'est passé réellement.

Oram secoua la tête. Clara interpréta mal son geste.

– Vous ne voulez pas me répondre?

– Je refuse d'être hospitalisé!

– Vous ne pouvez pas rester ici, pourtant. Je n'exerce plus la médecine depuis longtemps...

– Vous êtes responsable du poison qui coule dans mes veines. Vous l'avez inoculé à des animaux, à des hommes. Vous seule pouvez découvrir l'antidote et m'empêcher de perdre la raison!

Cet homme avait peur. Derrière son masque d'impassibilité se cachait une incoercible terreur. Son expression lui rappelait celle des vétérans. Il y dansait une flamme reconnaissable entre toutes : le souvenir d'un « vécu » insupportable. Elle eut la certitude qu'Oram, Bauer et tous les autres lui cachaient une vérité effroyable. Il lui fallait la découvrir.

– Pourquoi tout ce calfeutrage? Sans air frais, l'atmosphère deviendra vite irrespirable.

– Les microbes, gronda Oram. Je ne vais pas laisser des milliards de micro-organismes proliférer autour de moi! Tout a été lavé, désinfecté. Et les sons, surtout, ne me parviennent plus de l'extérieur.

Elle se saisit de son poignet, serrant sa peau rêche

comme du parchemin et trouva son pouls. Son cœur battait régulièrement. Sa dernière crise datait de quelques heures.

– Vos défenses immunitaires semblent en avoir pris un sacré coup.

Le prêtre émit un raclement de gorge qui aurait pu ressembler à un rire.

– Je suis à la merci de tout!

– Et les bruits vous effraient?

Il hocha la tête. Ses yeux ne quittaient pas ceux de Clara. Il observait le moindre de ses gestes avec l'acuité d'un patient terrifié sur le siège d'un dentiste.

– La nuit dernière, la sirène d'un bateau m'a arraché au sommeil. Je me suis réveillé en sursaut au beau milieu d'une crise.

– A quoi servent ces sangles?

– A m'attacher, bien sûr! Mes gardes se relaient devant la porte. Ils accourent au moindre de mes cris et ont consigne de me ligoter.

« Bon, se dit Clara. J'arrive au moins à le faire parler. » Elle enchaîna :

– Combien de doses avez-vous absorbées?

Il le lui dit. Clara en fut consternée. Et furieuse... Quarante-cinq gélules! Le messager ne lui avait parlé que de quelques doses. Quelles gélules d'abord? La Substance B s'administrait sous forme d'injection. Bauer l'avait donc mise en fabrication et encapsulée sans la consulter! Une bouffée de rage l'envahit.

– Quel est le dosage de ces gélules?

– Cinq milligrammes, répondit Oram.

– Cinq milligrammes! Vous avez donc absorbé deux cent vingt-cinq milligrammes de Substance B en moins de cinq jours!

Elle se leva brusquement.

– Que faites-vous? interrogea Oram.

– Dites à vos gardes de me laisser sortir. Je dois appeler Bauer sur-le-champ.

– Non!

– Ne soyez pas stupide! La Substance B n'est pas un médicament ordinaire! A partir d'une certaine concentration, la molécule se reproduit d'elle-même. Il faut que je vous emmène à Hoboken!

La voix de Clara était presque suppliante.

– Il n'en est pas question, docteur Zellmeyer. Poursuivez votre examen, je vous en prie!

– Mais je ne peux rien faire ici. Je n'ai aucun instrument sous la main. Il faudrait que je procède à des analyses...

Le grand prêtre parut réfléchir. Et son calme était encore plus effrayant. Il ne haussait jamais le ton. Sa voix, même lorsqu'il ordonnait ou protestait, restait immuable. Le timbre synthétique d'une machine sous un regard brûlant.

– De quoi avez-vous besoin?

– De seringues, d'éprouvettes stériles... Mais je ne pourrai rien connaître d'autre que le taux de concentration de la molécule dans votre sang. Il faudrait que votre cerveau soit analysé au scanner, que je pratique un E.E.G...

– Nous avons des seringues et des éprouvettes, dit Oram.

Il tendit la main vers le boîtier posé à côté de l'oreiller, mais son geste resta en suspens. Le sifflement reprenait. Faible tout d'abord, comme un bruit de vapeur qui s'échappe. Puis il enfla, devint strident. Et les images affluèrent.

Sœur Isima, allongée dans la boue. L'avant-bras déchiqueté. La pluie. L'acide qui coule du ciel. Les cases détruites. Le dernier survivant qui bondit. Son regard halluciné. Il s'effondre dans des éclaboussures de sang. Et le battement d'un cœur monstrueux, qui siffle plutôt qu'il ne gronde.

– Non, dit-il faiblement.

Son cœur s'emballa. Les flashes se superposaient maintenant. La boue de Piedras Negras, cette fange pourpre, s'était répandue dans la chambre. Sœur Isima se relevait. Son bras, dont ne restaient plus que des os, se tendait vers lui. La main s'accrochait à sa poitrine. Le sifflement atteignit les aigus. Il voulait fuir. Mais sœur Isima le retenait toujours. D'autres se ruèrent sur lui.

– Vous ne pouvez pas. Vous êtes morte!

Son cri se mua en un ricanement. La douleur dépassait l'entendement. La crise était plus forte, encore plus forte.

– Qu'ils retournent à leur tombe! Qu'ils pourrissent!

Il tendit les mains vers sœur Isima. Fuir son rictus et son regard! Arracher les yeux! Ouvrir la chair!

Mais d'autres bras l'empoignaient déjà.

Alors qu'il se débattait, le sifflement baissa d'intensité. Reprenant conscience, il sentit qu'on le ligotait. Sœur Isima avait disparu. A sa place, un visage inconnu. Trois expressions contrites, torturées par l'inquiétude. Trois sourires amicaux et désespérés. Il s'endormit.

Lorsqu'il ouvrit les yeux, il vit Clara assise à son côté. Les murs étaient de nouveau blancs, immaculés. La lumière ne provenait plus du néon. De la fenêtre ouverte parvenait un chant d'oiseau et plus loin, presque indistinct, le ronflement continu du moteur d'un navire.

– Tirez les rideaux, souffla Oram.

– Il vous faut de l'air, répondit Clara, butée.

– Fermez-les. Je ne supporte pas la présence du monde extérieur. Cette chambre est mon univers. Je ne veux rien connaître d'autre tant que vous n'aurez pas trouvé un remède.

Il tenta de se lever, d'exécuter lui-même ses ordres, mais les gardes l'avaient sanglé.

– La crise est passée, dit-il. Vous pouvez me détacher.

Clara s'exécuta en soupirant.

– Inutile de vous lever. J'ai aéré la chambre pendant que vous dormiez. Je vais fermer.

Elle libéra Oram puis se leva, alluma les néons, referma les fenêtres. La chambre fut de nouveau plongée dans la lumière artificielle. La crise d'Oram avait impressionné Clara. Elle en savait suffisamment cependant pour établir un parallèle entre ces accès de folie paranoïaque et l'état de manque des grands toxicomanes ou les crises de delirium tremens. Elle se souvenait de documents du C.N.R.S. filmés dans les hôpitaux pendant une cure de désintoxication. Des vieillards de vingt-cinq ans, de véritables épaves, s'y débattaient contre leurs démons. Mais dans le regard d'Oram, c'était sa propre mort qu'elle avait lue quand ses mains s'étaient tendues vers elle pour la saisir et pour serrer.

« La molécule a subi une mutation, une dégradation. Ce n'est pas une overdose. Physiquement, cet homme est encore sain. Si seulement je pouvais le passer au scanner! »

Une parole d'Oram, échappée pendant la crise, la troublait.

– Qui est sœur Isima? demanda-t-elle.

Elle eut l'impression qu'Oram tressaillait. Mais il reprit son impassibilité.

– Pas de question! répondit-il d'un ton mécanique.

Clara répliqua sèchement :

– Vous venez de subir une crise. Votre messager me les avait décrites, mais j'ignorais qu'elles pouvaient atteindre une telle intensité. Aidez-moi à vous sauver! La Substance B est en train de vous ronger le cerveau.

Oram leva un doigt menaçant vers elle. Mais c'était le doigt d'un prêtre antique désignant une victime à immoler, et non celui d'un homme en proie à la colère.

– Vous l'avez créée!

– Je suis une chercheuse. Mon travail consiste à découvrir de nouveaux médicaments. A guérir la souffrance. Je ne suis pas responsable de votre état. Qui est sœur Isima?

Oram frémit. Clara crut qu'il allait avoir une nouvelle crise. Et ses sangles étaient défaites! Combien de fois les gardes seraient-ils capables d'intervenir à temps? Mais le prêtre s'apaisa. Bravant sa propre terreur, Clara reprit :

– Vous m'avez appelée par ce nom tandis que vos doigts cherchaient ma gorge. Vous avez parlé de mort. De boue maculée de sang. Etaient-ce des images symboliques ou bien un souvenir?

Un sourire moqueur détendit les traits crispés du prêtre. Il paraissait se complaire dans cette situation : « Il jubile », constata Clara.

– Cela fait-il une différence? répondit Oram.

Elle devait savoir! Une sourde fureur s'empara d'elle. Bauer lui avait menti. Cet homme lui mentait. La Morgan Chemical tout entière avait brodé un tissu de mensonges autour d'elle depuis son arrivée. On l'avait endormie en lui offrant un fantastique instrument de travail et un énorme salaire. La molécule du bonheur!

– Oui, cria-t-elle. Cela fait une différence. L'abus de la Substance B peut avoir provoqué une déficience de votre système catécholaminergique, comme tout abus de drogue. Dans ce cas, je parviendrai peut-être à vous désintoxiquer. Si la molécule est devenue mutante, qu'elle se reproduise sous une forme maligne, ce n'est qu'en analysant vos visions, en connaissant les vraies raisons de vos accès d'angoisse, que je pourrai peut-être en déterminer la cause.

La porte s'ouvrit. Une jeune fille fit irruption, le visage baissé, amenant une petite valise en métal.

– Voilà vos seringues, dit Oram.

La jeune fille se retira. Clara ouvrit la boîte. Elle

contenait plusieurs aiguilles hypodermiques, deux pompes sous emballage stérile et deux éprouvettes.

– Vous n'avez pas d'alcool? demanda-t-elle.

– C'est contraire à mes lois, répondit Oram.

– Tant pis, je procéderai donc sans désinfecter.

Quelques secondes plus tard, elle rebouchait les deux éprouvettes à demi pleines.

– Il faut qu'elles parviennent de toute urgence à Hoboken. M'autorisez-vous à m'y rendre?

– Non, dit Oram. Vous restez avec moi. Votre chauffeur est toujours ici. Il ira à votre place.

Clara soupira.

– Dans ce cas, je lui prépare une liste. Un E.E.G. portable nous aiderait beaucoup.

Oram acquiesça.

– Je ne peux rien faire d'autre pour l'instant, murmura Clara après qu'un garde, appelé par Oram, eut emporté les échantillons sanguins et la liste qu'elle avait griffonnée.

– Nous attendrons donc le résultat des analyses.

La jeune femme secoua la tête.

– Non, nous ne nous contenterons pas d'attendre. Vous allez me raconter par le détail votre première crise et les circonstances qui l'ont précédée.

Oram fixa son regard sur elle avec une dureté insoutenable.

– Etes-vous bien sûre de vouloir connaître la vérité?

Le gorge de Clara se serra. Elle crispa ses mains sur le rebord de satin blanc. Elle aurait donné cher pour une cigarette. Mais son paquet était resté dans la Cadillac et, de toute façon, Oram ne l'aurait sans doute pas autorisée à fumer.

– Pourquoi me le cacheriez-vous? répondit-elle.

– En effet. Pourquoi?

Dans un effort désespéré pour conserver son calme, Clara tenta de poser ses questions avec méthode.

– Parlez-moi de Bauer. Pourquoi a-t-il agi avec autant de légèreté?

Oram ferma les yeux.

– Il était plus convaincu que vous de son succès!

– Bauer vous a confié des gélules dosées à cinq milligrammes, riposta Clara. Nous venons juste d'entreprendre l'expérience avec deux milligrammes.

– Faux!

La jeune fille tressaillit.

– Faux, dit Oram pour la seconde fois. Que vous le sachiez ou non, Bauer a achevé le cycle des recherches.

Il lui jeta un regard venimeux. Il ricana.

– Bauer est sans doute l'être le plus cupide de la terre, mais je ne le crois pas capable d'agir sans prendre ses précautions. Il m'a garanti que la Substance B avait été analysée à très haute dose sur des volontaires. Et je continue à le croire!

Clara se dressa, prête à commettre une folie tant cette nouvelle la bouleversait. Silencieuse, sentant le regard d'Oram sur sa nuque, elle parcourut la chambre de long en large. Elle était dans cette pièce depuis au moins trois heures. Clara se força à faire le vide dans son esprit. Elle devait se concentrer sur cet homme, sur sa maladie. La vie de quatre-vingts volontaires dépendait peut-être de ce qu'elle parviendrait à découvrir aujourd'hui. Celle des malheureux tombés entre les mains de Bauer, sans aucun doute! Un nouveau pressentiment l'envahit : qui étaient ces sujets d'expérimentation secrets? Oram avait dit vrai, elle en était convaincue. Bauer avait mené d'autres recherches.

Un gémissement étouffé interrompit ses réflexions. Vivement, elle se retourna. Oram, en proie à une nouvelle crise, venait de faire glisser les draps et les couvertures au pied du lit. Les yeux révulsés, les mains serrées autour de sa propre gorge comme s'il cherchait à déchirer ses propres chairs, il tentait de se redresser. Il y parvint, posa un pied à terre et se releva tout à fait.

– Isima, hurla-t-il. Retourne en enfer!

Mais sa voix fut couverte par un cri strident. Un cri d'effroi. La bouche grande ouverte, Clara hurlait.

HOBOKEN, LE 9 MARS

Jimmy Collins promena son regard sur les trois visages. Il s'arrêta sur celui de Guido. L'avaient-ils bien compris? Rien, dans leurs traits, dans leur sourire continuel, ne trahissait la moindre appréhension. Avaient-ils seulement perçu la portée de ses révélations? Leur raconter la tragédie de Piedras Negras avait été un moment horrible pour lui. Pourquoi fallait-il que les premiers êtres qui aient jamais manifesté de la sympathie à son égard soient justement les trois vétérans?

– Vous êtes porteurs de mort, souffla-t-il, espérant provoquer quelque réaction par cette terrible révélation. Vous ne comprenez pas? Nous ignorons tout des causes de cette maladie, si ce n'est que les victimes se sont entre-tuées après avoir absorbé quelques doses à peine de Substance B. En vingt et un jours, je vous ai inoculé deux cent dix milligrammes!

Guido Rambaldi prit enfin la parole :

– Nous ne ressentons aucun symptôme désagréable.

Il se tourna vers ses compagnons.

– Tony, tu as eu envie de me tuer? Et toi, Sidney, tu as traversé des instants dépressifs pendant ces trois semaines?

Les deux vétérans firent non de la tête.

– Vous ne me croyez donc pas, soupira Jimmy Collins.

Rambaldi s'était à nouveau perdu dans la contemplation du tableau. Lorsqu'il posa son regard sur le neurologue, celui-ci crut y lire un sentiment nouveau. De la tristesse.

– Tu nous as dit la vérité, Jimmy. Le carnage de Piedras Negras...

A nouveau, les quatre hommes avaient pris place autour de la table basse. Guido se leva et, sans expliquer son geste, alla décrocher le Gauguin qu'il posa sur le sol, la face peinte tournée contre le mur. Puis, revenant d'une lointaine réflexion, il dit :

– Oui, nous avons compris. A tout instant, la Substance B peut faire de nous des monstres sanguinaires.

Il sourit. « Monstres sanguinaires » l'amusait. Le gros titre d'un journal à sensations. Vous tuez un homme, vous êtes un meurtrier. Vous tuez des milliers d'hommes, vous êtes un chef d'Etat. Vous tuez tous les hommes, vous êtes Dieu!

– Mais le plus grave, Jimmy, c'est que nous sommes incurables! ajouta-t-il d'un ton léger.

Collins sursauta :

– Comment le sais-tu?

– Clara me l'a expliqué : à partir d'une certaine concentration dans l'organisme, la molécule se reproduit... En d'autres termes nos premières crises pourraient se déclencher sans préavis dans un an... ou demain.

Collins précisa :

– Si cela arrivait à un seul d'entre vous, je ne donnerais pas cher de votre vie à tous. Y compris de la mienne, si j'étais là.

– Les risques du métier, Jimmy, répondit Sidney, placide.

– Bon Dieu, cria Collins, révoltez-vous! Injuriezvous, cassez-moi la gueule! J' vous dis que vous allez mourir..., que je suis responsable, et vous vous en foutez?

Guido, comme pour lui faire plaisir, lui posa « la » question :

– Y a-t-il une solution?

– Aucune! hurla Collins, congestionné. Acceptez-vous de rester enfermés tant que nous n'aurons pas dépisté les causes réelles?

– Que pouvons-nous faire d'autre? répondit Tony.

Guido proposa :

– Prévenir Clara Zellmeyer, pour commencer. Nous transférer ailleurs. Au moins, là, nous pourrons servir à de véritables expériences.

Collins se prit la tête entre les mains et laissa échapper un gémissement.

– Croyez-vous que je serais venu seul s'il était possible de vous envoyer le docteur Zellmeyer?

Pour la première fois, Guido sembla dérouté.

– Qui t'en empêche?

Collins raconta.

Personne ne l'en empêchait, en effet. Sauf un tout petit détail. Sept mille doses de Substance B. Oram avait exigé que Clara s'occupe exclusivement de lui. Malgré les crises qu'il traversait et leur danger mortel pour Clara. La jeune femme se trouvait à son chevet et y demeurerait tant qu'elle n'aurait pas découvert l'origine de son mal. Alors seulement, les trois vétérans pourraient bénéficier de son aide. Si tant est qu'il puisse exister un remède! Et que Clara soit encore en vie.

– Clara est donc prisonnière? demanda Guido.

Collins confirma :

– Bauer leur a littéralement « livré » Clara. Oh! Il ne l'a pas fait pour des raisons humanitaires. Il espère étouffer le scandale et sauver la Morgan Chemical! Mais qui ne céderait au chantage de la secte? Ils menacent de distribuer les gélules, d'alerter la presse!

Collins parlait maintenant sans s'arrêter. La molécule subit-elle une mutation après absorption d'alcool? Ou sinon quoi? Elle a été passée au crible pendant trois ans et reconnue inoffensive. Combien de pilules faut-il prendre pour devenir fou furieux? Il fut frappé d'une illumination. Inoffensive... en milieu clinique. Et s'il existait une relation entre l'intolérance à la Substance B et le monde extérieur? Non, cela exclurait sa thèse sur la mort de Tim Patterson. Les rats avaient été atteints de démence au beau milieu d'une expérience. A moins qu'un choc semblable se soit produit dans les deux cas. Il brûlait. Il arrivait tout près de la vérité!

Guido l'interrompit :

– Comment vous sentez-vous, les gars?

L'ancien marine observait ses compagnons, le regard lourd de sens, comme s'il n'avait prêté aucune attention aux commentaires de Collins qui en fut presque vexé et lui dit d'un ton sec :

– Sept mille pilules de Substance B peuvent représenter la mort ou la folie de milliers de personnes.

– Justement, sourit Guido. On ne va pas les laisser courir dans la nature. Cette bande de rigolos n'a pas pu les cacher bien loin. On va les chercher et on ramènera Clara Zellmeyer.

Il sourit aimablement à Collins.

– Avant la crise....

NEW YORK, LE 9 MARS

Des résultats alarmants arrivèrent de Hoboken. La concentration de la molécule dans l'organisme d'Oram était aussi dense que s'il venait de recevoir une injection. Une note avait été griffonnée par Meryl, s'étonnant d'une anomalie dans la nature du spectre d'analyse en H.L.P.C. et demandant d'autres prélèvements pour faire réaliser un spectre de masse et une R.M.N. Elle ne faisait aucune allusion à la disparition de Clara ni ne manifestait de curiosité quant à la source des échantillons. Le doute n'était plus permis. La molécule avait subi une mutation d'origine inconnue. Le dernier espoir de Clara s'envola à la lecture du rapport.

En l'espace de deux heures, Oram avait eu cinq crises, de plus en plus rapprochées. Dès les premiers cris, les gardes accouraient, le maîtrisaient et le sanglaient. Mais il refusait désormais de répondre aux questions. Faire appel à ses souvenirs paraissait directement lié à ses accès de démence. Son teint pâlissait. Dès qu'il perdait le contrôle, ses prunelles effectuaient une véritable révolution dans leurs orbites. Les mêmes mots revenaient sans cesse « Isima », « mort », « massacre »...

Les faits auxquels Oram faisait allusion devaient relever de la plus terrible ignominie pour qu'un tel homme craigne à ce point de les formuler.

Clara refusa la collation apportée par une jeune disciple. Oram ne mangeait pas davantage. Les gardes amenèrent enfin une lourde mallette renfermant les instruments et produits demandés par Clara, ainsi qu'un E.E.G. portable.

Elle relut le rapport et retourna auprès du lit. Les sangles étaient de nouveau défaites. Oram avait dépassé les limites de l'épuisement. Vêtu d'une tunique de lin blanc, il reposait sur les couvertures. A plusieurs reprises, il avait exigé qu'on lui change ses vêtements. Il n'avait aucune difficulté à se mouvoir, mais paraissait éprouver une terreur quasi obsessionnelle à chacun de ses gestes.

– Ecoutez!

Clara prêta l'oreille. Une mélopée presque inaudible s'élevait de l'intérieur du manoir. Elle provenait de partout à la fois. Seuls les sons les plus graves parvenaient à franchir l'épaisseur des murs.

– Ils manipulent les énergies, dit Oram, le doigt tendu près de l'oreille.

Sa poitrine se souleva spasmodiquement.

– Ils tentent de m'exorciser à l'aide de vibrations, ricana-t-il.

Son visage se durcit.

– Ils croient que les démons se sont emparés de moi...

Il laissa échapper un rire sans illusion, se moquant de lui-même, de tous les siens, des dieux et de Dieu s'il existe. Clara éprouva pour lui un dégoût mêlé de pitié. Il se calma soudain.

– Je vais avoir une nouvelle crise, dit-il. Puis d'autres. Et d'une d'entre elles je ne reviendrai jamais.

Il ajouta :

– J'ai deviné les résultats à travers vos yeux. Vous ne savez que faire, n'est-ce pas?

Lentement, sans joie, Clara acquiesça.

– Je vais vous prélever d'autres échantillons sanguins... Pourquoi ne me laissez-vous pas repartir? Je serai plus utile au laboratoire.

– Vous restez.

– Vous ne pourrez pas me garder bien longtemps. Bauer sait que je suis là. Mon chauffeur est en bas.

De nouveau le rire, désagréable, tonitruant. Oram tendit la main vers elle et la posa sur sa cuisse. Clara sursauta avec autant de répulsion que si un insecte venimeux l'avait effleurée.

– Bauer ne fera rien, railla le prêtre.

Clara fut prise d'un accès de fureur insurmontable. Cette chambre devenait un cauchemar. Oram, étendu dans son linceul immaculé, n'était qu'un mort en sursis.

– D'accord, hurla-t-elle. Je resterai. J'attendrai la prochaine crise. Je brancherai l'E.E.G. pendant que vos gardes vous maîtriseront. Je procéderai à d'autres prélèvements. Mais tout cela ne servira à rien! Je connais déjà les résultats, espèce de fou! Ce qui coule dans vos veines n'a plus rien à voir avec la Substance B. C'est une molécule mutante, une monstruosité dont j'ignore les composants. Vous seul êtes capable de me guider! Mais vous avez trop peur, Oram ou quel que soit votre nom.

Peur? Venait-elle de prononcer ce mot impensable? La Substance B n'était-elle pas, par définition, l'anxiolytique parfait? Et la réaction d'Oram, la cause de ces accès de démence, n'était-ce pas tout simplement... *la peur?*

– Quel moyen de pression exercez-vous sur Bauer? Répondez si vous souhaitez avoir la moindre chance de vous en sortir!

– Cela n'a rien à voir avec mon état.

– Ça a tout à voir! Parlez! Vos crises proviennent d'un souvenir, d'un cauchemar. Le sang, Oram! La couleur rouge! C'est pour cela que vous avez tout fait recouvrir de blanc!

La mâchoire du prêtre se crispa.

– Vous avez peur, Oram. Comme on a peur de la mort. La Substance B maîtrise l'angoisse fondamentale, la peur existentielle. Mais la peur a resurgi en vous, mille fois plus forte. Je dois en connaître l'origine. Et ça commence avec Bauer.

Oram grinçait des dents. Ses yeux se rivèrent sur les lèvres de Clara. Pendant le court répit que lui accordait le poison, Oram put estimer le sens de la démarche de Clara. Elle voulait l'aider. Sincèrement.

– Je vais essayer, dit-il dans un râle. Mais je vous préviens, les images peuvent m'emporter, et vous avec... Sans retour.

D'une main tremblante il chercha le boîtier de

télécommande. Il parvint à appuyer sur le bouton. La porte s'ouvrit. Un garde apparut dans l'encadrement.

– Ne me dérangez plus, dit-il. Même si j'appelle. Le docteur Zellmeyer s'occupe de moi.

– Non! Attendez! s'écria Clara.

Mais la porte s'était refermée.

– Je vais tout vous dire, souffla Oram.

Le prêtre tremblait. Ses doigts se raidissaient, griffaient l'espace telles les serres d'un rapace, puis retombaient sans force.

– Sept mille gélules de Substance B se trouvent dans ce coffre, dit-il en montrant du regard l'emplacement du coffre caché. Mes disciples ont ordre de les distribuer dès l'instant... de ma mort... physique ou psychique.

Il porta la main à sa gorge.

– Le sifflement..., gémit-il en retombant lourdement sur le couvre-lit de satin.

Clara ne le quittait pas des yeux, partagée entre la pitié et une certaine appréhension. Il émit un cri lugubre, puis un hurlement. La crise s'annonçait plus forte que les précédentes. Oram semblait paralysé par la douleur. Mais Clara n'en savait pas assez. Malgré le risque qu'elle encourait, elle se pencha vers lui et s'efforça de parler d'une voix calme :

– Continuez. Ne laissez pas la douleur vous envahir.

Pour toute réponse, Oram grimaça. Une écume blanchâtre se formait sur ses lèvres et glissait le long de son menton.

– Je ne vous suivrai pas dans la mort, cria-t-il. Le nectar vous a détruit, mais je suis plus fort!

Il parvint à rouler sur lui-même et se laissa tomber au bas du lit.

« *Il est loin. Il ne m'entend plus*, pensa-t-elle désespérée. *Il y a sûrement quelque chose à faire.* »

Oram, à genoux, tentait de se mettre debout.

– Les Elus, massacrés, morts... boue et sang.

Enfin le puzzle se complétait. Bauer avait vendu la Substance B à la secte. Les disciples étaient passés de la béatitude à l'état de folie meurtrière collective. La Substance B rencontrant une composante chimique hostile devenait négative et même mortelle. Oram seul y avait échappé.

Il parvint enfin à se redresser et s'adossa au mur, terrifié. Ses bras retrouvaient quelque vigueur. Il les lançait fortement devant lui, essayant de repousser d'invisibles agresseurs. Son visage halluciné, ses cris de porc qu'on égorge et ce regard surtout où la folie prenait lentement le pas sur la terreur eurent raison du courage de Clara. Il réussit à atteindre le centre de la chambre. Il titubait comme un homme ivre. Il buta contre la mallette de l'E.E.G. La trousse médicale se renversa sur le sol et s'ouvrit. Des seringues, trois doses de Substance B, de la gaze, de l'alcool, des ciseaux, en tombèrent. Le prêtre se pencha sur les instruments et se saisit d'un scalpel.

– Isima..., souffla-t-il, le regard fixé sur la gorge de la jeune femme.

Essayant de garder son sang-froid, Clara recula jusqu'à la porte, actionna la poignée. La serrure était bien verrouillée. Elle frappa contre le vantail. En vain.

Enragé, Oram semblait avoir retrouvé l'usage de ses membres. Clara ne le quittait pas des yeux et reculait tandis qu'il avançait vers elle.

« *Il doit pourtant y avoir une solution. Aucun de mes sujets, homme ou animal, n'a jamais été confronté à la peur. La Substance B domine les réactions primaires de l'homme et annihile les instincts latents. Mais elle n'interdit pas les mécanismes de survie... La peur de la mort immédiate entraîne une mutation de la molécule.* »

Oram n'était plus qu'à deux pas. Clara contourna

le téléprojecteur et faillit trébucher sur la trousse renversée. La crise semblait ne pas avoir de fin.

« *Les membres de la secte ont été confrontés à un danger entraînant la résurgence de leurs instincts primaires. Oram est parvenu à conserver un équilibre précaire entrecoupé de crises, car sa propre vie n'a pas été menacée...* »

Oram progressait lentement vers elle, la pointe du scalpel dépassant de ses doigts puissants. Clara s'accroupit et fouilla fébrilement dans les instruments répandus sur le sol. Elle parvint à saisir une seringue prête à l'emploi et une dose de Substance B. Elle cassa l'ampoule d'une main tremblante et inséra l'aiguille.

« *Le mécanisme est similaire à l'état de manque chez un drogué. Les bioamines et catécholamines ont été remplacées par la molécule. Il me reste une chance. Une nouvelle dose. La Substance B, pure. Peut-être...* »

Oram buta contre le rebord du lit. La chambre, immense, paraissait minuscule à Clara. Le visage du prêtre n'était plus qu'un masque de souffrance. Elle emplit la seringue.

– Isima!

Oram avait retrouvé sa vivacité. Le scalpel brandi, il avait hâte de l'enfoncer dans les chairs de la jeune femme, convaincu de tuer ses fantômes. Il y avait une chaise près de la table. Clara s'en saisit. Elle attendit qu'Oram soit presque sur elle et, violemment, balança la chaise contre son bras. Le prêtre gronda de fureur. Le scalpel tomba à terre. Il se rua sur elle et referma les doigts sur son cou. C'était l'instant que Clara attendait. D'un seul geste, elle enfonça l'aiguille dans son abdomen et vida la seringue. Oram ne parut pas la sentir davantage qu'une piqûre d'insecte. Ses doigts serraient son cou. Clara sentit l'air lui manquer.

« *Je n'ai plus que trente secondes* », parvint-elle à penser.

Un voile noir s'abattit sur son regard. Elle parvint à entendre les râles du prêtre, à sentir le souffle de son haleine sur son visage, mais ne le voyait plus.

« *Temps de résorption... par intramusculaire... vingt à quarante secondes*, calculait son cerveau asphyxié. *Si tu t'es trompée...* »

Le gouffre s'ouvrit dans lequel elle bascula. Ses membres devinrent flasques. Seul un ricanement lointain parvenait encore à franchir la barrière de sa conscience. Elle ne sut si elle se débattait encore ou si, déjà, son corps avait abandonné la lutte. La sensation n'était pas désagréable. Un soupçon de détresse, une once de tristesse euphorique, semblable, plus qu'à toute chose, à l'ivresse du vide avant de toucher la surface de l'eau pendant un plongeon. Cela dura un temps incalculable. Elle fut réveillée par un choc, une douleur au poignet. Elle était allongée sur le sol, le bras droit replié sous ses seins. A hauteur de ses yeux, les pieds et les chevilles d'Oram. Le prêtre l'avait lâchée. Il regardait ses mains. Le halètement d'un homme retrouvant son souffle avait remplacé ses gémissements et ses râles abominables. Il baissa le visage vers elle. Lentement, ses traits se décrispaient. Ils s'observèrent ainsi pendant de longues secondes, Clara frémissant dans l'attente d'une nouvelle crise, anxieuse à l'idée d'un sursis qui pourrait être bref et mortel. Alors le prêtre laissa retomber ses bras. Un soupir s'échappa de sa gorge.

– Que m'avez-vous fait?

Clara s'apprêtait à bondir, à lui échapper, quitte à briser la fenêtre et à se jeter dans le vide. Elle ne parvint pas à croire qu'il venait de prononcer ces mots. Et pourtant. Il tendit la main vers elle et l'aida à se relever.

– Que m'avez-vous fait? répéta-t-il.

Une onde de soulagement envahit la poitrine de la jeune femme.

– Comment vous sentez-vous? Est-ce la fin de la crise?

– Non, répondit le prêtre. Mieux que ça. Je me sens... Je ne sais pas.

Clara se massa le cou, le poignet. Elle avait encore du mal à respirer. De nouveau sur ses jambes, elle observa le visage d'Oram. Il avait repris de l'assurance.

– Je vous ai injecté cinq milligrammes de Substance B.

Elle vit une lueur d'étonnement flotter dans son regard, ou bien était-ce de la reconnaissance? D'un geste sec, rageur, elle tira le cordon des rideaux. Puis, avec un plaisir manifeste, elle arracha les voiles qui masquaient la fenêtre. Le jour envahit la pièce. Elle se retourna.

– Ecoutez-moi bien, dit-elle. Je ne vous ai pas sauvé! Vous êtes à la merci du moindre choc. J'ignore si la dose de Substance B parviendra à vous calmer une prochaine fois. Je dois vous transférer à Hoboken et me mettre au travail. Une semaine, une année, je ne sais pas, mais j'aurai ce qu'il me faut pour mes recherches.

Oram se laissa tomber sur le rebord du lit. Pour la première fois de sa vie, Clara avait face à elle un homme sous l'effet de la Substance B. Il semblait heureux, soulagé. Deux cents êtres humains étaient morts. Il souriait. Un instant auparavant, ses doigts s'enroulaient autour de son cou. A présent, ses yeux pétillaient. Clara balançait entre le désespoir et, sentiment inavouable, une certaine jubilation.

– J'appelle Bauer pour qu'il m'envoie l'hélicoptère.

– Et ensuite? On recommence tout à zéro?

Le prêtre demeurait impassible. Il semblait plongé dans une profonde réflexion, dans un monde intérieur qui l'irradiait. Son cerveau fonctionnait de nouveau en accord avec ses aspirations. Il édifiait déjà d'autres plans.

« *Et s'il refuse maintenant. Que ferai-je?* »

– Je vais faire l'impossible pour vous sauver, mais j'y mets une condition.

Oram daigna enfin poser un regard sur elle. Il paraissait amusé.

– Rendez-moi les gélules. Les sept mille doses, demanda Clara.

Oram se leva sans un mot, traversa la chambre et s'accroupit devant le pan du mur faisant angle avec la fenêtre. Méthodiquement, il arracha des carrés entiers de molleton, découvrant la porte d'acier d'un coffre. Il composa la combinaison, se retourna vers Clara et sourit. Le lourd battant s'ouvrit, dévoilant trois containers en aluminium.

HOBOKEN, LE 10 MARS

Collins était revenu avec trois blouses d'infirmier. Guido et ses compagnons les avaient revêtues puis tous les quatre avaient repris le chemin conduisant du sous-sol au bâtiment principal. Collins tirait à petits coups nerveux sur un méchant cigarillo. Ils abandonnèrent la portion de couloir presque insalubre. Avant d'apposer sa main sur l'œil électronique commandant la dernière porte, Collins se tourna vers eux.

– Vous êtes bien conscients du risque que vous prenez!

Guido le rassura :

– Ça se passera bien, Jimmy.

Mais Collins ne désarmait pas :

– N'oubliez pas! A chaque instant, vous pouvez devenir porteurs de mort!

– Nous l'avons été toute notre vie!

Rien n'avait pu les raisonner. Collins haussa les épaules.

– Allons d'abord dans mon bureau. L'adresse de la secte doit s'y trouver.

Le neurologue ouvrant la marche, ils traversèrent un palier désert, franchirent d'autres couloirs, croisèrent quelques laborantins affairés qui ne leur jetèrent même pas un coup d'œil. Ils se retrouvèrent enfin dans le bureau de Collins. Plusieurs lumières clignotaient sur le tableau d'intertéléphone. Le neurologue commença par allumer l'écran de son terminal. Il était le seul, avec Bauer, à avoir accès à toutes les données. Il entra sa clef.

– Que veulent dire ces lumières? interrogea Guido.

– Des appels urgents, répondit Collins, sans lever le nez de son clavier.

– Tu ferais peut-être mieux de te renseigner...

Collins jura.

– L'ordinateur refuse de me communiquer cette adresse. Bauer s'y est rendu, pourtant. Il a livré lui-même les gélules.

Les trois vétérans regardaient autour d'eux avec curiosité. C'était dans ce bureau qu'ils avaient donné leur accord et « vendu leur corps à la Science ». Aucun des trois ne semblait le regretter!

Tony déplia un listing posé sur un meuble roulant. Sidney mit la machine à café en marche.

– Consulte donc tes appels, insista Guido.

Cette fois, Collins s'exécuta.

– Bauer me cherche, dit-il nerveusement après avoir raccroché.

– Laisse-le te chercher, grinça Tony.

– Non, insista Guido. Essaie de savoir ce qu'il te veut.

La conversation fut brève. Lorsque Collins prit congé de Bauer, une lueur d'excitation brillait dans son regard.

– Clara Zellmeyer a demandé le transfert du prêtre par hélicoptère. Bauer exige que je l'accompagne.

– Ton président me plaît de plus en plus, ricana Sidney.

Guido sourit puis éclata de rire.

– Vous avez besoin d'un pilote. D'un pilote expérimenté et, bien sûr, de deux infirmiers.

Il énonçait ces mots comme un bon chef donne l'ordre qui convient, calmement. Il se tourna vers ses compagnons. Sidney avait le pouce brandi à hauteur de ses yeux.

– Avec toi, mon lieutenant. Quand tu veux, où tu veux!

La nuit tombait. La surface de l'Hudson se tintait de reflets rouge et or. Clara marchait silencieusement dans le parc. Elle tournait ainsi en rond depuis près d'une demi-heure, emplissant ses poumons d'oxygène, se libérant peu à peu de sa tension sous le regard vigilant des gardes d'Oram. La Cadillac était toujours garée à la même place. Son chauffeur, indifférent aux événements, dormait le plus tranquillement du monde, étendu sur la banquette arrière.

La lumière brûlait au premier étage du manoir. Oram se préparait au transfert. Assis sur la dernière marche du perron, deux hommes en tunique blanche montaient la garde auprès des caissons d'aluminium. Clara y avait plongé les mains, examinant les flacons anonymes remplis de gélules bleues.

Dans quelques minutes, Oram serait conduit à Hoboken. Les recherches reprendraient alors. Mais sous une forme toute différente. Clara s'acharnerait à guérir cet homme. Pour le sauver, il lui faudrait entrer en lutte contre sa propre découverte. Laver l'organisme du prêtre de la Substance miracle. Le désintoxiquer.

Cette journée avait été la plus longue de sa vie. Et elle marquait la fin de ses esprits et de ses rêves.

« *Prix Nobel, pauvre sotte! C'est la croix de guerre que tu mériterais. Ta pilule du bonheur est l'arme la plus meurtrière que l'on pouvait découvrir.* »

Elle eut soudain très froid. Les lumières endimanchées d'une navette maritime rasèrent la rive du fleuve. Comment Bauer allait-il s'en sortir, cette fois?

« Deux cents morts? Le progrès coûte parfois bien plus cher! Poursuivons le programme. Qu'ils aient au moins servi à quelque chose. »

« *La Substance B n'existe pas. C'est une utopie qui t'a rendue heureuse pendant trois ans. D'autres l'ont payée à ta place... Cela ne te suffit pas?* »

Maintenant, il fallait nettoyer ce gâchis! Balançant sans cesse entre le désespoir et la colère, elle remonta l'allée conduisant à la maison.

Le Bell Jet Ranger de Franck Bauer atterrit dans le parc, bien après que le soleil eut totalement disparu au-delà du New Jersey, alors qu'au sud flottaient dans l'obscurité les joyaux nocturnes de Manhattan. Collins en descendit le premier. Il y avait à bord, outre le président de la Morgan qui ne semblait pas pressé de mettre le pied sur le sol, deux infirmiers au visage masqué par l'ombre, vêtus de l'uniforme du laboratoire. Le pilote portait un casque.

Clara vint au-devant de Collins. Le neurologue paraissait encore plus nerveux qu'à l'accoutumée. Il avait une mine effroyable. Les gardes d'Oram entouraient déjà l'appareil, scrutant les visages dans l'obscurité, inspectant le moindre recoin de la carlingue.

– Avez-vous trouvé quelque chose? demanda Collins anxieusement.

Clara le toisa avec mépris.

– Finirez-vous vos jours en cirant les bottes de Bauer?

Elle lui adressa un regard cinglant et se dirigea vers l'hélicoptère. Collins la retint par le bras.

– Attendez!

Clara se dégagea.

– Vous permettez que je m'adresse directement au président?

– Vous êtes au courant, n'est-ce pas? souffla Collins.

– De quoi voulez-vous parler? des bénéfices de la Morgan ou des deux cents gosses morts pour la Science?

Bauer venait de mettre pied à terre. Les rotors stoppèrent.

– Clara!

Le président de la Morgan s'avançait en souriant, la main tendue, heureux comme s'il retrouvait une amie disparue.

La jeune femme se planta face à lui. Trois regards l'observaient à l'intérieur de l'appareil.

– Bauer! gronda-t-elle.

Sa voix vibrait de rage contenue. Son intonation devint grave.

– Vous avez agi en dépit de toutes les lois, Bauer. Vous nous avez trompés, l'Institut et moi, vous avez manipulé la F.D.A. Vos agissements ont causé la mort de ces enfants.

Le président de la Morgan avait prévu sa réaction. Son sourire s'effaça.

– Docteur Zellmeyer, cracha-t-il. Je vous somme de vous reprendre.

– Il existe des moyens de mettre fin à vos manœuvres, poursuivit Clara. Et croyez-moi, je vais m'y employer.

Une soudaine agitation du côté de la maison la fit se retourner. Oram venait d'apparaître, revêtu d'une longue robe de cérémonie, une cape jetée sur ses épaules. Les siens l'entourèrent, se jetèrent à ses pieds, baisant le sol qui portait ses pas. Il avança, majestueux comme un monarque.

– Oram est guéri, chuchotait-on de partout.

Bauer resta bouche bée.

– Vous y êtes parvenue! Vous avez réussi à le sauver!

– Pas le moins du monde. J'ai truqué les cartes, comme vous! Il n'existe aucun remède contre la Substance B!

Sa voix porta à l'intérieur de l'habitacle.

– Je ne suis pas tenue de poursuivre les recherches, dit encore Clara. Mais je réparerai le mal qui a été fait.

Oram approchait. Il avançait à pas comptés, le port de tête altier.

– Nous poursuivrons notre entretien dans mon bureau, grinça Bauer.

– Trop tard! Je n'aurai qu'une minute à vous consacrer entre la presse, la F.D.A. et le F.B.I.

Elle se tourna brusquement vers Oram.

– Attendez!

Le prêtre s'arrêta à deux mètres d'elle.

– Vous oubliez votre promesse?

– Pas du tout, répondit-il de sa voix éthérée. Les caisses sont à votre disposition.

Le visage de Bauer s'éclaira.

– Les sept mille pilules sont encore dans ces containers, dit Clara.

Puis elle s'adressa aux infirmiers :

– Chargez-les dans l'hélicoptère, s'il vous plaît.

Tony et Sidney passèrent devant elle, la tête baissée. Clara scruta leurs visages, figée par la surprise. Elle s'apprêtait à demander une explication lorsqu'elle sentit une pression contre son bras. Collins l'avait rejointe.

– Je vous expliquerai plus tard, souffla-t-il. Ne dites rien. Allez voir qui pilote.

Les deux vétérans regagnaient précipitamment l'appareil, portant les caissons qu'ils déposèrent sur le sol, entre les banquettes.

– Tony Grenat et Sidney Brown! murmura Clara. Se pourrait-il...?

Elle contourna l'appareil tandis qu'Oram, aidé par deux de ses gardes, prenait place à bord. Les quelques lumières du parc se reflétaient dans le pare-brise bombé. A l'intérieur, le visage du pilote était éclairé par les cadrans du tableau de bord. Apercevant la jeune femme, il se pencha.

– Guido!

L'ancien marine porta un doigt à la hauteur de ses lèvres qui, mimant un baiser, le souffla vers elle sur sa paume ouverte et ponctua son geste d'un clin d'œil. Clara était stupéfaite. Depuis son arrivée à New York, tout s'organisait, se tramait autour d'elle sans qu'elle puisse intervenir. Guido aux commandes de l'appareil, Sidney et Tony déguisés en infirmiers. Elle se souvint que ces deux derniers, comme Guido, n'avaient pas réapparu au laboratoire depuis plusieurs semaines.

– Non, gémit-elle, les yeux rivés sur Guido qui lui faisait signe de s'éloigner. Ce n'est pas possible! Pas eux, pas lui!

Elle chercha Collins. Le neurologue n'avait cessé de la suivre d'un regard inquiet. Lui seul pouvait avoir organisé cette substitution d'équipage.

Clara retourna devant l'ouverture de l'appareil. Bauer, Oram, les deux infirmiers et le garde personnel du prêtre y avaient déjà pris place.

– Montez! ordonna le président de la Morgan.

Clara prit appui sur le marchepied. La voix de Guido l'arrêta :

– Impossible de prendre un passager de plus. Nous sommes déjà en surcharge.

Bauer eut un instant d'hésitation. Mais Collins intervint :

– Cela n'a aucune importance, dit-il. Mademoiselle Zellmeyer et moi-même regagnerons Hoboken avec la Cadillac.

Oram eut l'air de soupçonner quelque chose. Il consulta Bauer du regard.

– A moins que vous ne préfériez vous séparer de votre garde, ajouta Collins perfidement.

– Allez, gronda Bauer. Nous avons perdu assez de temps !

Palissade Avenue n'était plus qu'un ruban lumineux délimitant la masse noire de l'Hudson. L'hélicoptère disparut aussitôt derrière les premiers gratte-ciel.

Assis côte à côte, à l'arrière de l'hélicoptère spécialement aménagé, Oram et Bauer faisaient face aux deux infirmiers. Le garde céleste avait pris la place du copilote. Depuis le décollage, aucune parole n'avait été prononcée. Bauer rompit le silence le premier :

– Zellmeyer a bon espoir de trouver un antidote, annonça-t-il.

– Je suppose que vous allez me présenter des excuses et m'annoncer que la Morgan Chemical tout entière se consacrera désormais à ma guérison, répondit Oram d'un ton morne.

– Oram, commença Bauer.

Ce qu'il lut dans le regard du prêtre l'incita à se taire. L'hélicoptère survolait la rive est de l'Hudson. Les pales du rotor brassaient l'air dans un ronflement régulier, couvrant à peine les voix des passagers.

– Oram, reprit Bauer, retrouvant son courage, notre seul objectif est de vous guérir. Je dispose encore de trois sujets enfermés dans les sous-sols d'Hoboken. Ces hommes ont absorbé des doses inimaginables de Substance B. Avant de tenter quoi que ce soit sur votre organisme, nous expérimenterons les antidotes sur eux. Ainsi, vous serez totalement à l'abri.

Le regard des deux infirmiers se posa sur lui, impassible.

– Vous guérirez, je vous l'affirme. Et nous serons alors confrontés à de nouveaux problèmes. D'un jour à l'autre, le massacre de Piedras Negras sera découvert. Trop rapidement à notre goût si nous ne parvenons pas à maîtriser Clara Zellmeyer.

Une voix nasillarde s'éleva du haut-parleur de la cabine de pilotage.

– Contournez l'immeuble de la Pan Am. La navette de La Guardia s'apprête à atterrir.

Les feux d'un second appareil scintillèrent, suspendus dans le ciel.

– Nous devons accorder nos versions des faits, poursuivit Bauer. La mort de vos disciples est un incident effroyable, mais il ne doit pas nous détourner de nos objectifs.

– La Substance B est une douce illusion, murmura Oram.

– Pas du tout! s'exclama Bauer. Elle existe! Vous en êtes la preuve vivante. Ils nous faut la purifier encore. Nous avons agi trop rapidement. Mais d'autres savants poursuivront les recherches. Notre accord tient toujours, Oram. Vous n'allez pas vous laisser abattre à la première difficulté!

Les paroles portaient loin dans la cabine suspendue par un fil invisible bien au-dessus des sommets de New York City. Guido sourit. « Chaque mission doit être considérée comme la dernière, pensa-t-il. C'est le désespoir plus que l'instinct de survie qui fait la force des soldats! »

Il se sentait aussi bien qu'au retour d'un raid victorieux. Et quelle victoire! Pour la première fois, il n'était qu'un pilote de transport au service de l'ennemi. Objectif atteint! Clara Zellmeyer était sauve, entre les mains de Jimmy Collins. Les containers se trouvaient à l'arrière de l'appareil. Personne ne goûterait plus à ce poison! Personne! Pas si lui, Guido, pouvait l'empêcher.

Les commandes du Jet Ranger chatouillaient agréablement ses paumes. Depuis combien de temps n'avait-il pas piloté un hélicoptère? Des bribes de souvenirs, des sons lointains remontaient à sa mémoire.

– On se crash, Tony! Le rotor a morflé!

– Mayday! Mayday!

La jungle, tapis moussu et vert, qui tout à coup bascule et vous saute dessus comme la mâchoire d'un squale. Les flammes. Les cris. Dernière mission? Il reste toujours un objectif à atteindre.

« Un soldat n'est pas seulement une machine à tuer », songea-t-il tristement. Et cette tristesse, comme tous les sentiments négatifs filtrés par la Substance B, se mua en allégresse. « Mais ce qui coule dans mes veines est la première découverte de l'homme qui permette de transformer l'être le plus pacifique en un tueur. »

L'Empire State Building se dressait à quelques centaines de mètres. Il imagina King Kong qui grimpait contre sa façade. Il s'amusait. Se souvenait. Voix de Clara : « Il n'existe aucun antidote. »

Silence et voix de Clara, encore : « Ce médicament se reproduit à l'infini dans l'organisme du patient. »

Voix de Collins : « Vous êtes à la merci d'une crise. Demain, dans une semaine, dans un an... »

Guido jeta un regard sur la jauge du réservoir. Dans la précipitation du départ, il avait réussi à éviter que les employés de l'héliport privé ne fassent le plein. Il tiendrait jusqu'à Hoboken, plus une vingtaine de kilomètres, mais pas au-delà.

Le prêtre et le président de la Morgan continuaient à bavarder comme deux larrons en foire. Bauer était parvenu à dérider son interlocuteur. Dans un instant, il persuaderait Oram de former une nouvelle association.

– Un membre dissident de votre secte, un illuminé, a pris en charge le camp de Piedras Negras, expliquait-il. C'est lui qui a ordonné aux Elus de se suicider collectivement. Vous êtes très affecté, bien entendu, et je me charge de vous protéger de la presse, le temps de l'enquête!

Une vieille rengaine effleura la mémoire de Guido Rambaldi. Il se tourna vers l'arrière de l'appareil. Comme il s'y attendait, Tony, au visage rieur, aux cheveux roux et bouclés – Guido l'avait sauvé en réussissant à poser le Sikorsky –, et Sidney, les yeux pétillants plantés dans une face sombre, tous deux, ses plus que frères, le regardaient. L'hélicoptère survolait le Lincoln Tunnel. Hoboken n'était plus qu'à trois minutes.

– Mission sans retour? murmura Guido.

Sidney et Tony lurent sur ses lèvres plus qu'ils n'entendirent ses paroles. L'un et l'autre hochèrent la tête.

– Frères de Substance, rit Guido. Une nouvelle Famille.

Les mots mêmes employés par Don Pfeiffer pour alerter Son Eminence... Nouvelle Famille...

Oram et Bauer poursuivaient leur conversation. Le garde avait le visage tourné vers la paroi de Plexiglas, perdu dans une méditation secrète, indifférent à tous et à tout. Guido donna un petit mouvement du poignet sur la commande. Insensiblement, l'appareil bascula. Le Lincoln Tunnel s'éloigna sur la droite. Devant, il y avait Manhattan, puis Brooklyn et au-delà, l'océan. La jauge d'essence était presque à zéro.

Alors la rengaine prit de l'ampleur dans le cerveau

de Guido Rambaldi. C'était une vieille chanson des Rangers. Un hymne à la gloire du sacrifice. L'hélicoptère survola Manhattan. La rive de Brooklyn se dessina au-delà de Williamsburg Bridge. Guido brancha le pilote automatique. Il se leva, suivi par le regard étonné du garde, et chevaucha l'étroit espace entre les deux banquettes. Les mots jaillirent de sa poitrine. Avec bonheur, amusement. Le jeu ultime. La fin de la Substance B!

– *We all wanted to be in Vietnam.*

Tony et Sidney firent écho, ivres de joie.

– *B'cause Uncle Sam asked us to do so!*

– Que se passe-t-il? gronda Bauer. Pourquoi avez-vous quitté votre poste?

Sans répondre, Guido se pencha sur les caissons d'aluminium. Il chantait toujours.

– *We, the Rangers, have no fear no hate!*

Il ouvrit le premier container. Bientôt, dans quelques secondes à peine, ils survoleraient Jamaïca Bay. Puis l'océan.

– Pour sûr, l'appareil ne tiendra jamais jusqu'à Da Nang!

– Laissez cela! hurla Bauer.

Sidney se leva, s'assit entre le prêtre et lui, et, en proie au plus grand amusement, posa ses bras derrière leurs épaules. L'une après l'autre, Guido ouvrit toutes les fioles. Bientôt, le sol de l'appareil fut recouvert de petites gélules bleues qui ondulaient comme des vagues suivant les oscillations de l'hélicoptère.

Les dernières lumières de Brooklyn disparurent.

– Là où nous allons, dit Guido, nous n'aurons pas besoin de Substance B!

Les turbines du Jet Ranger eurent un premier raté.

– *We all wanted to be in Vietnam,* chanta encore Guido.

Il souriait dans l'obscurité. Une lumière rouge se mit à clignoter désespérément sur le tableau de bord. Bauer tenta de se lever. Un hurlement inhumain s'éleva de la gorge d'Oram.

Les pales s'arrêtèrent de tourner.

ÉPILOGUE

– Il est sept heures du matin, good morning, George!

– Good morning, Tammy.

Concert des deux voix :

– Good morning, America!

Sur fond de carte lumineuse, les deux présentateurs se hâtèrent d'enchaîner, ne laissant même pas s'achever le jingle de l'émission télévisée la plus regardée aux Etats-Unis. Ils avaient cinq minutes devant eux avant les prochains messages publicitaires.

– Journée marquée par l'horreur, annonça Tammy de la voix chaleureuse qui avait fait sa célébrité à ses débuts lorsqu'elle présentait la météo. Horreur aux Etats-Unis, tout d'abord avec la chute d'un hélicoptère de la Morgan Chemical au large de Jamaïca Bay. Six personnes se trouvaient à son bord, dont Franck Bauer, président de la société à laquelle appartenait l'appareil, et Jonathan Greenfield, plus connu sous le nom d'Oram, grand prêtre d'une secte prospère. Doit-on faire un rapprochement entre cet accident et le tragique décès de deux cents membres de cette même secte, découverts hier à Piedras Negras, Guatemala?

Don Pfeiffer, les yeux rivés sur son téléviseur, attendit la fin de l'émission. Il dut patienter pendant cinq pauses publicitaires avant d'apprendre tous les détails de l'affaire.

– Affaire qui serait demeurée obscure, poursuivit la présentatrice, sans l'intervention d'une chercheuse française, le docteur Clara Zellmeyer, et d'un cadre de la Morgan Chemical, le docteur Jimmy Collins.

Le conseil d'administration de la Morgan Chemical, réuni en assemblée extraordinaire, durait depuis plusieurs heures. Tous les membres étaient consternés. Certains en venaient même à regretter la disparition de Franck Bauer. Lui seul, pensaient-ils, aurait été capable de rétablir la situation et d'étouffer le scandale.

Etaient présents, exceptionnellement, Clara Zellmeyer, un membre de la Food and Drug Administration et Jimmy Collins auquel on pensait pour succéder provisoirement à Bauer.

Lorsque l' « inconnu » fut introduit, seul Collins sourit d'un air entendu. Don Pfeiffer se présenta. Parla d'une voix claire et calme. Exposa les motifs de sa requête. Sa proposition fut mise aux voix. Elle obtint l'unanimité.

Dès lors, la Morgan Chemical fut soulagée d'un immense problème. Le Vatican se chargerait de dédommager les familles des victimes de Piedras Negras – cela s'inscrivait dans son programme humanitaire. En contrepartie, toutes les formules, les brevets, les rapports d'analyses devenaient la propriété de l'Etat pontifical. Il n'avait pas jugé nécessaire d'informer les actionnaires qu'ils n'avaient pas le choix, le Vatican se trouvant majoritaire en secret de la Morgan Chemical. Sans aucune amertume,

Clara Zellmeyer ajouta sa signature au protocole d'accord. Une clause stipulait qu'elle s'interdisait à tout jamais de reprendre ses recherches dans ce domaine de la pharmacologie.

A la fin du conseil d'administration, elle accompagna Don Pfeiffer.

– Qu'allez-vous en faire? lui demanda-t-elle.

– Nos caves sont pleines de ce genre de découvertes, répondit Don Pfeiffer. Nous intervenons toujours pour empêcher l'homme d'accomplir le travail du diable.

– Et si la Substance B avait répondu à nos espoirs?

Don Pfeiffer hocha la tête et ajouta, non sans malice :

– Le diable emprunte parfois un bien séduisant visage.

Le moment était venu d'effacer toute information concernant la Substance B de la mémoire des ordinateurs.

Sur l'écran apparaissaient encore les dernières données relatives à l'évolution clinique de Gerry Milton, le doyen des vétérans, soixante-cinq ans.

« Observations! annonçait l'écran. Compte tenu des dernières analyses et de son état biologique général, le sujet ne peut être âgé de plus de cinquante ans. »

Puis, en dessous : « Anomalie à vérifier! »

Le 3 mars, date des dernières analyses, le sujet était bien âgé de soixante-cinq ans.

Sur l'écran apparaissaient quatre phrases :

DISPARITION DES ALGIES RHUMATISMALES
RÉGÉNÉRESCENCE DE L'ÉLASTINE CUTANÉE
RESTITUTION « AD INTEGRUM »
DU Q.I. ET DE LA MÉMOIRE
RETOUR DE L'ACTIVITÉ SEXUELLE JUVÉNILE

Personne ne prit garde aux observations de l'ordinateur. Dans le département informatique de la Morgan Chemical, un informaticien fit apparaître la dernière question :

DESTROY

YES – NO

Il appuya sur YES.

LEXIQUE

Catécholamines, catécholaminergie : substance sécrétée par le cerveau.

c/s : cycles par seconde.

E.E.G. : Electro-encéphalogramme. (Examen des courants électriques du cerveau.)

Food and Drug Administration (F.D.A.) : service américain du ministère de la Santé chargé d'accorder les autorisations de mise sur le marché des nouveaux médicaments.

High Presure Liquide Chromatography (H.L.P.C.) : méthode d'analyse ultra-fine permettant de détecter et/ou de doser un médicament dans le sang.

Maccacus Rhesus : famille de singes utilisés dans les laboratoires pour tester les médicaments avant l'essai sur l'homme.

M.S.T. : maladies sexuellement transmissibles : hépatite virale, herpès, S.I.D.A., syphilis, etc.

Over the Counter (O.T.C.) : « par-dessus le comptoir », désignation familière des médicaments d'automédication vendus librement hors pharmacies. Ils représentent 25 % du marché aux Etats-Unis.

Oxyphénylbutazone (oxydril) : dérivé oxydé de la phénylbutazone, puissant anti-inflammatoire.
Phase IV : phase d'expérimentation clinique chez l'homme, réalisée après l'autorisation de mise sur le marché. Elle permet de généraliser les connaissances acquises au cours des phases précédentes.
Psychotrope : médicament qui agit sur le psychisme.
Résonance magnétique nucléaire (R.M.N.) : méthode permettant d'identifier la composition d'une substance.
Sanofi : filiale pharmaceutique de Elf-Aquitaine.
Tricylciques : première famille de médicaments antidépresseurs découverts par Rhône-Poulenc.

Les policiers du Livre de Poche

(Extrait du catalogue général)

Bachellerie
L'Ile aux muettes

Baudou *Jacques* (Sous la direction de)
Mystères 86
Mystères 87

Borniche *Roger*
Flic story
Le Gang
René la Canne
Le Play-Boy
L'Indic
L'Archange
Le Ricain
Le Gringo
Le Maltais
Le Tigre
Le Boss
Vol d'un nid de bijoux
L'Affaire de la môme Moineau

Christie *Agatha*
Le Meurtre de Roger Ackroyd
Dix petits nègres
Le Vallon
Le Crime de l'Orient-Express
A.B.C. contre Poirot
Meurtre en Mésopotamie
Cinq petits cochons
La Mystérieuse affaire de Styles
Meurtre au champagne
L'Affaire Prothero
Le Train bleu
L'Homme au complet marron
Le Couteau sur la nuque
La Maison du péril
Les Quatre
Cinq heures vingt-cinq

Mort sur le Nil
Je ne suis pas coupable
Un cadavre dans la bibliothèque
Pourquoi pas Evans ?
La Plume empoisonnée
La Maison biscornue
Le Train de 16 heures 50
Le Major parlait trop
Le Flux et le Reflux
Témoin à charge
Les Indiscrétions d'Hercule Poirot
Drame en trois actes
Témoin muet
Poirot joue le jeu
La Mort n'est pas une fin
Les Pendules
Le Crime est notre affaire
Une mémoire d'éléphant
Miss Marple au Club du mardi
Le Club du mardi continue
Rendez-vous avec la mort
Un meurtre sera commis le...
Trois souris...
Le Miroir se brisa
Le Retour d'Hercule Poirot

Coatmeur *Jean-François*
La Bavure
Les Sirènes de minuit

Doyle *Sir Arthur Conan*
Sherlock Holmes : Étude en Rouge *suivi de*
Le Signe des Quatre
Les Aventures de Sherlock Holmes
Souvenirs de Sherlock Holmes
Résurrection de Sherlock Holmes
La Vallée de la peur
Archives sur Sherlock Holmes
Le Chien des Baskerville
Son dernier coup d'archet

Doyle *Sir A. Conan* et **Carr** *J. D.*
Les Exploits de Sherlock Holmes

Exbrayat *Charles*
Chant funèbre pour un gitan
Les Amoureux de Leningrad
Tout le monde l'aimait

Imogène est de retour
L'Inspecteur mourra seul
Quel gâchis, inspecteur!
Les Menteuses
La Honte de la famille
Encore vous, Imogène!
Les Blondes et papa
Deux enfants tristes
Quand Mario reviendra
Le Petit Fantôme de Canterbury

Goodis *David*
La Lune dans le caniveau
Cassidy's girl
La Garce

Hitchcock *Alfred*
Histoires à ne pas lire la nuit
Histoires à faire peur

Irish *William*
Alibi noir

James *P. D.*
La Proie pour l'ombre
L'Ile des morts

IMPRIMÉ EN FRANCE PAR BRODARD ET TAUPIN
Usine de La Flèche (Sarthe).
LIBRAIRIE GÉNÉRALE FRANÇAISE - 43, quai de Grenelle - 75015 Paris.
ISBN : 2 - 253 - 04923 - 9 30/7538/9